武經七書

第五冊

〔春秋〕孫武 等 著
崇賢書院 釋譯

北京聯合出版公司

分合第五十一

原文　武王問太公曰：「王者帥師，三軍分爲數處，將欲期會合戰，約誓賞罰，爲之奈何？」

太公曰：「凡用兵之法，三軍之衆，必有分合之變。其大將先定戰地、戰日，然後移檄書與諸將吏，期攻城圍邑，各會其所，明告戰日。漏刻有時，大將設營佈陳，立表轅門，清道而待。諸將吏至者，校其先後，先期至者賞，後期至者斬。如此，則遠近奔集，三軍俱至，並力合戰。」

譯文　武王問太公：「君王領兵出征，全軍分駐數處，主將想要按約定的時間集結軍隊同敵人交戰，並告誡全軍官兵，嚴明賞罰，應該怎麼辦呢？」

太公回答：「一般用兵的方法，一定要將全軍分成若干部隊，在部署上有

分散兵力和集中兵力的變化。主將首先確定作戰的地點和時間，然後將戰鬥檄文下達給其他部隊的將領，約定要攻打和包圍的城邑，規定各軍集結的地點，規定交戰的日期。在各部隊規定到達的時間之前，主將在集結地點設置營壘，排列陣勢，在營門豎立標竿計算時間，清理出通道，等待各部將領到達。各部將領到達時，要核實他們是在規定的時間之前到達還是在規定的時間之後到達，在之前到達的給予獎勵，在之後到達的斬首示衆。這樣，不論遠近，各部隊都會在規定的時間內趕到集結地，全軍全部到達後，就能集中力量與敵軍交戰。」

武鋒第五十二

原文　武王問太公曰：「凡用兵之要，必有武車驍騎，馳陳選鋒，見可則擊之。如何則可擊？」

太公曰：「夫欲擊者，當審察敵人十四變。變見則擊之，敵

人必敗。」

譯文 武王問太公：「通常用兵的重要原則，就是一定要有強大的戰車和勇猛的騎兵，有衝陣之軍和由精兵組成的突擊部隊，發現有可乘之機就發起進攻。那麼，究竟在什麼情況下可以發起進攻呢？」

太公回答：「想要發起進攻，應當仔細察明對敵人不利的十四種情況。一旦發現這些情況，就可以發起進攻，敵人一定會被打敗。」

原文 武王曰：「十四變可得聞乎？」

太公曰：「敵人新集可擊，人馬未食可擊，天時不順可擊，地形未得可擊，奔走可擊，不戒可擊，疲勞可擊，將離士卒可擊，涉長路可擊，濟水可擊，不暇可擊，阻難狹路可擊，亂行可擊，心怖可擊。」

譯文 武王問：「您可以把這十四種情況講給我聽聽嗎？」

太公回答：「敵軍剛剛集結，還沒有佈陣的時候，可以發起進攻；敵軍人馬飢餓，還沒有進食的時候，可以發起進攻；氣候條件不利於敵軍的時候，可以發起進攻；地理條件不利於敵軍的時候，可以發起進攻；敵軍倉促奔走趕路的時候，可以發起進攻；敵軍戒備鬆懈的時候，可以發起進攻；敵軍疲勞倦怠的時候，可以發起進攻；敵軍將領離開士卒，軍中無人指揮的時候，可以發起進攻；敵軍長途跋涉的時候，可以發起進攻；敵軍正在渡河的時候，可以發起進攻；敵軍忙亂不安定的時候，可以發起進攻；敵軍通過艱難險阻和隘路的時候，可以發起進攻；敵軍行列散亂不整的時候，可以發起進攻；敵軍軍心渙散的時候，可以發起進攻。」

練士第五十三

原文 武王問太公曰：「練士之道奈何？」

太公曰：「軍中有大勇、敢死、樂傷者，聚爲一卒，名曰冒

拔距，即超距，謂跳躍也。昔甘延壽投石投距，絕於等倫；王翦士卒投石超距，即此義也。或曰：「拔」字，乃「投」字之誤也。伸鉤，能伸鐵鉤也。

刃之士。有銳氣、壯勇、強暴者，聚爲一卒，名曰陷陳之士。有奇表、長劍，接武齊列者，聚爲一卒，名曰勇銳之士。有拔距、伸鉤，強梁多力，潰破金鼓，絕滅旌旗者，聚爲一卒，名曰勇力之士。有踰高絕遠，輕足善走者，聚爲一卒，名曰寇兵之士。有王臣失勢，欲復見功者，聚爲一卒，名曰死鬥之士。有死將之人子弟，欲與其將報仇者，聚爲一卒，名曰敢死之士。有贅壻、人虜，欲掩跡揚名者，聚爲一卒，名曰勵鈍之士。有貧窮憤怒，欲快其心者，聚爲一卒，名曰必死之士。有胥靡免罪之人，欲逃其恥者，聚爲一卒，名曰幸用之士。有材技兼人，能負重致遠者，聚爲一卒，名曰待命之士。此軍之練士，不可不察也。」

譯文

武王問太公：「挑選士兵組編隊伍有什麼方法？」

壯士揮劍

有奇表、長劍、接武齊列者，聚爲一卒，名曰勇銳之士。

太公回答：「把軍隊中勇氣超人、不怕犧牲、以戰死為榮的人，編為一隊，稱為冒刃之士。把銳氣十足、健壯勇猛、強勁有力的人，編為一隊，稱為陷陣之士。把儀表非凡、善用長劍的人，以及步履穩健、動作整齊的人，編為一隊，稱為勇銳之士。把臂力過人、能拉直彎鉤的人，以及強壯有力能衝入敵陣搗毀敵人金鼓，能奪取敵人旗幟的人，編為一隊，稱為勇力之士。把能夠攀登高峰、行走遠路的人，以及輕便靈活善於奔跑的人，編為一隊，稱為寇兵之士。把曾經是貴族大臣卻因故失勢而想重建功勛的人，編為一隊，稱為死鬥之士；把一心想為自己父兄報仇的陣亡將帥的子弟，編為一隊，稱為敢死之士。把曾入贅為壻和當過敵人俘虜，要求掩蓋恥辱、揚名立萬的人，編為一隊，稱為勵鈍之士。把因自己貧窮而憤怒不滿，要求立功受賞從而實現心願、揚眉吐氣的人，編為一隊，稱為必死之士。把免罪的想要掩蓋自己恥辱的囚犯，編為一隊，稱為幸用之士。把才能和技藝過人，能負重涉遠的人，編為一隊，稱為待命之士。這就是軍中挑選士兵組編隊伍的方法，不能不考察清楚。」

教戰第五十四

原文

武王問太公曰：「合三軍之衆，欲令士卒服習，教戰之道奈何？」

太公曰：「凡領三軍，有金鼓之節，所以整齊士衆者也。將必先明告吏士，申之以三令，以教操兵起居，旌旗指麾之變法。故教吏士，使一人學戰，教成，合之十人；十人學戰，教成，合之百人；百人學戰，教成，合之千人；千人學戰，教成，合之萬人；萬人學戰，教成，合之三軍之衆；大戰之法，教成，合之百萬之衆。故能成其大兵，立威於天下。」

武王曰：「善哉！」

譯文

武王問太公：「會集全軍部隊，要使全體士兵都習熟戰鬥技能，那

麼應該採取什麼樣的軍事訓練？」

太公回答：「凡是統率軍隊，必須用金鼓進行指揮，這是爲了使士兵們能統一行動。將帥首先應該明確地告訴官兵應該怎樣訓練，反復講解，然後再訓練他們如何使用兵器，熟悉隊列佈陣的操練動作，以及根據各種旗幟號令的變化改變動作、變化隊形。所以，訓練軍隊時，要挑選一個人來學習各種技能，把他訓練好後，再十人合練；十人一起學習各種技能，訓練好後，再百人合練；一百人一起學習各種技能，訓練好後，再千人合練；一千人學習各種技能，訓練好後，再萬人合練；一萬人學習各種技能，訓練好後，再全軍合練；全軍教練作戰的方法，訓練好後，再進行百萬大軍的合練。所以，用這種方法進行訓練，就能組成強大的軍隊，豎立無敵於天下的威信。」

武王說：「您說得眞好！」

均兵第五十五

原文

武王問太公曰：「以車與步卒戰，一車當幾步卒？幾步卒當一車？以騎與步卒戰，一騎當幾步卒？幾步卒當一騎？以車與騎戰，一車當幾騎？幾騎當一車？」

太公曰：「車者，軍之羽翼也，所以陷堅陳，要強敵，遮走北也。騎者，軍之伺候也，所以踵敗軍，絕糧道，擊便寇也。故車騎不敵戰，則一騎不能當步卒一人。三軍之衆，成陳而相當，則易戰之法：一車當步卒八十人，八十人當一車；一騎當步卒八人，八人當一騎；一車當十騎，十騎當一車。險戰之法：一車當步卒四十人，四十人當一車；一騎當步卒四人，四人當一騎；一車當六騎，六騎當一車。夫車騎者，軍之武兵也，十乘敗千人，百乘敗萬人；十騎敗百人，百騎走千人。此

其大數也。」

譯文 武王問太公：「用戰車同敵軍的步兵交戰，一輛戰車能抵擋多少名步兵？多少名步兵能抵擋一輛戰車？用騎兵同敵軍的步兵交戰，一名騎兵能抵擋多少名步兵？多少名步兵能抵抗一名騎兵？用戰車同敵軍的騎兵交戰，一輛戰車能抵擋多少名騎兵？多少名騎兵能抵擋一輛戰車？」

太公回答：「戰車，具有強大的戰鬥力，好比軍隊的羽翼，用來攻堅陷陣，攔擊強敵，斷絕敵軍的退路。騎兵如同偵察人員一樣，用來偵察警戒，跟蹤追擊敗逃的敵軍，切斷敵軍的糧道，襲擊敵軍的遊擊部隊。因此，當戰車和騎兵因爲地形不適宜，不能充分發揮戰鬥力時，一名騎兵甚至抵不上一名步兵。全軍佈列成陣，各兵種配合得當，那麼在平坦之地的作戰法則是：一輛戰車可以抵擋八十名步兵，八十名步兵相當於一輛戰車；一名騎兵可以抵擋八名步兵，八名步兵相當於一名騎兵；一輛戰車可以抵擋十名騎兵，十名騎兵相

當於一輛戰車。在險阻之地的作戰法則是：一輛戰車可以抵擋四十名步兵，四十名步兵相當於一輛戰車；一名騎兵可以抵擋步兵四人，四名步兵相當於一名騎兵；一輛戰車可以抵擋六名騎兵，六名騎兵相當於一輛戰車。戰車和騎兵，是軍隊中最具有戰鬥力的兵種，十輛戰車可以擊敗一千個敵人，一百輛戰車可以擊敗一萬個敵人；十個騎兵可以擊敗一百個敵人，一百個騎兵可以擊敗一千個敵人。這些都是大概的數字。」

原文 武王曰：「車騎之吏數、陳法奈何？」

太公曰：「置車之吏數，五車一長，十車一吏，五十車一率，百車一將。易戰之法：五車爲列，相去四十步，左右十步，隊間六十步。險戰之法：車必循道，十車爲聚，二十車爲屯，前後相去二十步，左右六步，隊間三十六步；五車一長，縱橫相去二里，各返故道。置騎之吏數：五騎一長，十騎一吏，百

騎一率，二百騎一將。易戰之法：五騎爲列，前後相去二十步，左右四步，隊間五十步。險戰者：前後相去十步，左右二步，隊間二十五步。三十騎爲一屯，六十騎爲一輩；十騎一吏，縱橫相去百步，周環各復故處。」

武王曰：「善哉！」

譯文 武王問：「應該如何配備戰車和騎兵部隊中的軍官的數量呢？」

大公回答：「戰車部隊中軍官的配置是，每五輛戰車設一長，每十輛戰車設一吏，每五十輛戰車設一率，每一百輛戰車設一將。在平坦之地的作戰方法是：每五輛戰車爲一列，戰車與戰車前後相距四十步，左右相距十步，車隊與車隊的前後和左右各相距六十步。在險阻之地的作戰方法是：每輛戰車必須沿著道路前進，每十輛戰車爲一聚，每二十輛戰車爲一屯，戰車與戰車前後相距二十步，左右相距六步，車隊與車隊的前後和左右各相距三十六步；每五輛戰車設一長，同隊的戰車前後左右相距不超過二里，戰車撤出戰鬥後仍按原路返回。騎兵部隊中軍官的配置是，每五名騎兵設一長，每十名騎兵設一吏，每一百名騎兵設一率，每二百名騎兵設一將。在平坦之地的作戰方法是：每五騎爲一列，各騎前後相距二十步，左右相距四步，隊與隊的前後和左右各相距五十步。在險阻之地的作戰方法是：各騎前後相距十步，左右相距二步，隊與隊前後和左右各相距二十五步。每三十名騎兵爲一屯，每六十名騎兵爲一輩；每十名騎兵設一吏，同隊的騎兵前後和左右相距不超過一百步，撤出戰鬥後各自返回到原來的位置。」

武王說：「您說得真好！」

武車士第五十六

原文 武王問太公曰：「選車士奈何？」

太公曰：「選車士之法，取年四十已下，長七尺五寸已上，

射前後左右，皆便利習熟者，如楚樂伯與晉戰，左射馬，右射人，使角不能進，此是射前後左右便習者。

走能逐奔馬，及馳而乘之，前後、左右、上下周旋，能束縛旌旗；力能彀八石弩，射前後左右，皆便習者，名曰武車之士，不可不厚也。」

譯文　武王問太公：「如何挑選乘戰車作戰的武士？」

太公回答：「挑選乘戰車作戰的武士的方法是，選取年齡在四十歲以下，身高在七尺五寸以上，奔跑的速度能追得上奔跑的馬，能追上奔馳的戰車並能跳上去，能在戰車上前後、左右、上下各方作戰自如，能執掌旌旗；能拉滿八石的強弩，熟練地向前後左右、射箭的人，他們被稱爲武車士，一定要厚待他們。」

武騎士第五十七

原文　武王問太公曰：「選騎士奈何？」

太公曰：「選騎士之法：取年四十已下，長七尺五寸已上，壯健捷疾，超絕倫等，能馳騎彀射，前後左右，周旋進退，越溝塹，登丘陵，冒險阻，絕大澤，馳強敵，亂大衆者，名曰武騎之士，不可不厚也。」

譯文　武王問太公：「如何挑選騎馬作戰的武士？」

太公回答：「挑選騎馬作戰的武士的方法是：選取年齡在四十歲以下，身高在七尺五寸以上，強壯有力，行動敏捷，本領超過常人，能騎馬疾馳並在馬上挽弓射箭，向前向後、向左向右都應戰自如，進退有度，能策馬越過溝塹，攀登丘陵，敢於衝過險阻，橫渡大水，追擊強敵，擾亂衆多敵人的人，被稱爲武騎士，一定要厚待他們。」

戰車第五十八

原文　武王問太公曰：「戰車奈何？」

太公曰：「步貴知變動，車貴知地形，騎貴知別徑奇道，三

軍同名而異用也。凡車之死地有十，其勝地有八。」

譯文 武王問太公：「用戰車作戰的方法有哪些？」

太公回答：「用步兵作戰貴在根據情況隨機應變，用戰車作戰貴在懂得利用地形，用騎兵作戰貴在有偏僻的小路和捷徑可走，三個兵種都是作戰部隊，祇是作用有所不同。通常用戰車作戰，有十種不利的地形，八種有利的地形。」

原文 武王曰：「十死之地奈何？」

太公曰：「往而無以還者，車之死地也。越絕險阻，乘敵遠行者，車之竭地也。前易後險者，車之困地也。陷之險阻而難出者，車之絕地也。圮下漸澤，黑土黏埴者，車之勞地也。左險右易，上陵仰阪者，車之逆地也。殷草橫畝，犯歷深澤者，車之拂地也。車少地易，與步不敵者，車之敗地也。後有溝瀆，左有深水，右有峻阪者，車之壞地也。日夜霖雨，旬日不止，道路潰陷，前不能進，後不能解者，車之陷地也。此十者，車之死地也。故拙將之所以見擒，明將之所以能避也。」

譯文 武王問：「十種不利地形是哪些？」

太公回答：「可以進入而不能退回的，是戰車的死地。越過險阻，長途追逐敵人的，是戰車的竭地。前路平坦易行，後路險要難通的，是戰車的困地。受困於險阻的地形而難以出來的，是戰車的絕地。道路坍塌積水的黑土黏泥地帶，是戰車的勞地。左邊地勢險阻右邊地勢平坦，還要登上土山爬上山坡的，是戰車的逆地。遍地是茂盛的草，還要渡過深水的，是戰車的拂地。戰車數量少，地形平坦，不能抵擋敵軍步兵的，是戰車的敗地。後有溝渠，左有深水，右有高坡的，是戰車的壞地。大雨日夜不停，連綿多日，道路毀壞，既不能前進，又不能解開陣勢後退的，是戰車的陷地。這十種地形都是戰車的死地。所以愚笨的將領由於不瞭解這十種死地而失敗被擒，明智的將領由於能

避開這十種死地而取得勝利。」

原文 武王曰：「八勝之地奈何？」

太公曰：「敵之前後，行陳未定，即陷之。旌旗擾亂，人馬數動，即陷之。士卒或前或後，或左或右，即陷之。陳不堅固，士卒前後相顧，即陷之。前往而疑，後恐而怯，即陷之。三軍卒驚，皆薄而起，即陷之。戰於易地，暮不能解，即陷之。遠行而暮舍，三軍恐懼，即陷之。此八者，車之勝地也。將明於十害、八勝，敵雖圍周，千乘萬騎前驅旁馳，萬戰必勝。」

武王曰：「善哉！」

譯文 武王問：「八種有利的地形是哪些？」

太公回答：「敵軍前後隊列尚未佈成陣勢，這時就用戰車乘機攻破它。敵軍旌旗雜亂，人馬頻頻調動，這時就用戰車乘機攻破它。敵軍士卒有的前進，

有的後退，有的向左，有的向右，這時就用戰車乘機攻破它。敵人陣勢不堅固，士兵在前後觀望，這時就用戰車乘機攻破它。敵軍前進時遲疑不定，後退時驚恐畏懼，這時就用戰車乘機攻破它。敵軍全軍突然驚亂，都急迫地擠成一團，這時就用戰車乘機攻破它。敵軍在平坦之地與我軍交戰，到了日暮時還沒有結束戰鬥，這時就用戰車乘機攻破它。敵軍長途行軍，天黑之後纔宿營，全軍恐懼不安，這時就用戰車乘機攻破它。這八種情況都是有利於用戰車作戰的情況。將帥知道了上述利用戰車作戰的十種不利情況和八種有利情況，即使敵軍已經四麵包圍我軍，並用千輛戰車、萬名騎兵向我軍正面進攻和兩側突擊，我軍也能每戰必勝。」

武王說：「您說得真好！」

戰騎第五十九

原文 武王問太公曰：「戰騎奈何？」

太公曰：「騎有『十勝』、『九敗』。」

武王曰：「『十勝』奈何？」

太公曰：「敵人始至，行陳未定，前後不屬，陷其前騎，擊其左右，敵人必走。敵人行陳整齊堅固，士卒欲鬥，吾騎翼而勿去，或馳而往，或馳而來，其疾如風，其暴如雷，白晝而昏，數更旌旗，變易衣服，其軍可克。敵人行陳不固，士卒不鬥，薄其前後，獵其左右，翼而擊之，敵人必懼。敵人暮欲歸舍，三軍恐駭，翼其兩旁，疾擊其後，薄其壘口，無使得入，敵人必敗。

譯文

武王問太公：「運用騎兵作戰，應該怎樣做呢？」

太公回答：「運用騎兵作戰，有『十勝』和『九敗』。」

武王問：「『十勝』是哪些？」

糧道

糧食是戰爭必需的後勤保障，自古兵家非常注意保障糧道的安全、暢通。欲剋敵戰勝對方，也多會從謀劃切斷對方糧道入手。

敵人日暮而返，其兵士甚衆，其行伍陣勢必亂。令我騎兵十而為一隊，百而為一屯，車五而為一衆，十而為一群，多設置旌旗，錯雜以弩，或翼擊其兩旁，或斷絕其前後，敵將可虜矣。此已上，乃騎之十勝也。按十勝而止有八，恐脫耳。

太公回答：「敵軍剛到，還沒有佈好陣列，前後不相連接，這時用騎兵擊破敵軍先頭騎兵部隊，同時夾擊敵軍左右兩側，敵軍一定潰敗逃走。敵軍行列整齊陣勢堅固，士兵士氣高昂，這時用騎兵包抄敵人兩翼不放，時而奔馳而去，時而奔馳而來，來來去去迅捷如風，猛烈如雷，使白晝如同黃昏，頻頻更換旗幟，改變服裝，令敵軍疑惑恐懼，就一定能夠打敗敵軍。敵軍行陣不堅固，士卒喪失士氣，這時用騎兵逼近敵軍的正面和後方，像打獵一樣追擊其左右，施行包抄夾擊，敵人一定大爲震恐。敵軍日暮回營，全軍恐懼慌亂，這時用騎兵夾擊敵軍的兩翼，快速攻擊敵軍的後方，向敵軍的營壘的出入口逼近，阻止敵軍進入營壘，敵軍一定失敗。

原文

「敵人無險阻保固，深入長驅，絕其糧路，敵人必飢。地平而易，四面見敵，車騎陷之，敵人必亂。敵人奔走，士卒散亂，或翼其兩旁，或掩其前後，其將可擒。敵人暮返，其兵甚衆，其行陳必亂，令我騎十而爲隊，百而爲屯，車五而爲聚，十而爲群，多設旌旗，雜以強弩，或擊其兩旁，或絕其前後，敵將可虜。此騎之『十勝』也。」

譯文

「敵軍沒有險要的地形可以固守，這時用騎兵長驅直入，切斷敵軍的糧道，敵軍一定會因飢餓而敗亡。敵軍處於平坦之所，四面都容易遭受攻擊，這時用騎兵配合戰車攻擊，敵軍一定會潰亂。敵軍敗逃，士卒四散，這時用騎兵或包抄夾擊其兩側，或從前後襲擊，就一定能夠擒獲敵軍將帥。敵軍日暮返回營壘，人數衆多，陣列一定混亂，這時將每十個騎兵組成一隊，每百人組成一屯，每五輛戰車組成一聚，每十輛戰車組成一群，多插旗幟，配置強弩，或掃擊敵軍的兩翼，或斷絕敵軍的前後，就一定能夠擒獲敵軍將帥。上述這些，就是騎兵作戰的『十勝』。」

原文

武王曰：「『九敗』奈何？」

太公曰：「凡以騎陷敵，而不能破陳，敵人佯走，以車騎返擊我後，此騎之敗地也。追北踰險，長驅不止，敵人伏我兩旁，又絕我後，此騎之圍地也。往而無以返，入而無以出，是謂陷於『天井』，頓於『地穴』，此騎之死地也。所從入者隘，所從出者遠，彼弱可以擊我強，彼寡可以擊我衆，此騎之沒地也。

譯文

武王問：「『九敗』是哪些？」

太公回答：「凡是用騎兵進攻敵軍而不能攻破敵陣，敵軍佯裝逃跑而用戰車和騎兵繞回來攻打我軍後方，這就是騎兵敗地。追擊敗逃的敵軍，越過險阻，長驅不止，而敵軍在兩旁佈下了埋伏，又斷絕我軍的退路，這就是騎兵的圍地。我軍前進後不能後退，進入後不能出來，這就叫陷入『天井』之內，困於『地穴』之中，這就是騎兵的死地。我軍所在之地前進的道路狹窄，後退的道路迂遠，敵軍能夠以弱擊強，以少擊多，這就是騎兵的沒地。

原文

「大澗深谷，翳穢林木，此騎之竭地也。左右有水，前有大阜，後有高山，三軍戰於兩水之間，敵居表裏，此騎之艱地也。敵人絕我糧道，往而無以返，此騎之困地也。汚下沮澤，進退漸洳，此騎之患地也。左有深溝，右有坑阜，高下如平地，進退誘敵，此騎之陷地也。此九者，騎之死地也。明將之所以遠避，暗將之所以陷敗也。」

譯文

「大溪深谷，草木茂盛，騎兵行動困難，這就是騎兵作戰上的竭地。左右兩邊都有河流水澤，前面有高大的土山，後面有高聳的山峰，我軍在兩水之間同敵軍交戰，敵軍佔據內外有利的地形，這就是騎兵的艱地。敵軍切斷我軍的糧道，我軍衹能前進而不能後退，這就是騎兵的困地。低窪之地和水草叢生的沼澤之地，進退都是泥濘之地，這就是騎兵的患地。左有深溝，右有深坑和土山，高低不平，遠看卻似平地，進退都會遭受敵軍的襲擊，這就是

騎兵的陷地。上述九種情況都是騎兵作戰的死地，英明的將帥會竭力避開這些地方，昏庸的將帥不懂得要避開這些地方從而遭到失敗。」

戰步第六十

原文　武王問太公曰：「步兵與車騎戰奈何？」

太公曰：「步兵與車騎戰者，必依丘陵險阻，長兵強弩居前，短兵弱弩居後，更發更止。敵之車騎，雖衆而至，堅陳疾戰，材士強弩，以備我後。」

譯文　武王問太公：「用步兵與敵軍的戰車、騎兵交戰，應該怎麼做？」

太公回答：「用步兵與敵軍的戰車、騎兵交戰，必須依託丘陵的險阻地形列陣，在前面配備長兵器和強弩，在後面配備短兵器和弱弩，輪流戰鬥，輪流休息。敵軍的戰車和騎兵雖然大批來到我軍陣前，我軍也要堅守陣地，頑強戰鬥，同時用精銳的戰士和強弩戒備後方。」

原文　武王曰：「吾無丘陵，又無險阻，敵人之至，既衆且武，車騎翼我兩旁，獵我前後，吾三軍恐怖，亂敗而走，爲之奈何？」

太公曰：「令我士卒爲行馬、木蒺藜，置牛馬隊伍，爲四武衝陳。望敵車騎將來，均置蒺藜，掘地匝後，廣深五尺，名曰『命籠』。人操行馬進退，闌車以爲壘，推而前後，立而爲屯，材士強弩，備我左右。然後令我三軍，皆疾戰而不解。」

武王曰：「善哉！」

譯文　武王問：「我軍所在之地既沒有丘陵可以依託，又沒有險阻可以據守，到達的敵軍人數衆多，而且有很強的戰鬥力，用戰車和騎兵包抄夾擊我軍兩翼，在我軍前方和後方展開獵殺，致使我軍恐懼萬分，混亂潰逃，應該怎麼辦呢？」

太公回答：「命令我軍士兵準備好行馬和木蒺藜等障礙器材，把牛馬用繩索連在一起，編成隊伍，步兵結成四武衝陣。看見敵軍的戰車和騎兵即將到來，就把木蒺藜放置在適當的地方，並在我軍後面開掘半圓形的壕溝環繞我軍後方陣地，壕溝的寬度和深度均爲五尺，這樣的陣地稱爲『命籠』。步兵帶著行馬進退，把戰車連接起來組成營壘，推著它前後移動，停止時就作爲呑併的營寨；用精銳的戰士和強弩戒備左右。然後號令我全軍奮勇作戰，不得懈怠。」

武王說：「您說得眞好！」

唐太宗李衛公問對

［唐］李靖　著

綜述 《唐太宗李衛公問對》也稱《李衛公問對》，簡稱《唐李問對》。舊題李靖所撰。但因為新舊唐書都沒有關於此書的記載，所以很多人懷疑此書是偽作。北宋陳師道等認為是宋人阮逸偽託，元朝馬端臨則認為是宋神宗熙寧年間王震等人所校正。現在普遍認為此書是對唐太宗、李靖的思想極為熟悉的人以他們的言論為依據所編寫的，為唐太宗李世民與衛國公李靖數次談兵的言論輯錄，涉及的內容十分廣泛，包含了軍制、陣法、訓練、邊防等問題。

《唐太宗李衛公問對》分為上中下三卷，上卷主要闡釋了奇正的關係；中卷主要講述了有關軍隊的編制、指揮以及訓練的一些內容，同時也闡釋了怎樣纔能提高戰鬥力；下卷主要依據《孫子兵法》、《尉繚子》、《司馬法》等兵書中提及的關於作戰中運用的「詭道」、「攻守」、「誤敵」等原則，闡釋了作戰過程中的種種情況。

該書繼承並發揚了春秋、戰國以來的軍事思想，同時提出了一些新的軍事理論，因此一直以來備受重視，北宋元豐年間被收入《武經七書》中，作為武學科舉的必讀教材。

卷上

原文 太宗曰：「高麗數侵新羅，朕遣使諭，不奉詔。將討之，如何？」

靖曰：「探知蓋蘇文自恃知兵，謂中國無能討，故違命。臣請師三萬擒之。」

譯文 太宗說：「高麗屢次侵犯新羅，我派遣使臣前去諭示它罷兵，可它卻不接受詔令。我打算討伐它，你認為如何？」

李靖回答：「據探知的情報表明，蓋蘇文自認為善於用兵，以為中原沒有能力去討伐他，所以纔敢不接受詔令。我請求統領三萬兵馬前去擒拿他。」

原文 太宗曰：「兵少地遙，以何術臨之？」

靖曰：「臣以正兵。」

譯文 太宗問：「兵少路遠，你打算採用什麼戰術去對付他？」

李靖回答：「我打算使用正兵。」

原文 **太宗曰：「平突厥時用奇兵，今言正兵，何也？」**

靖曰：「諸葛亮七擒孟獲，無他道也，正兵而已矣。」

譯文 太宗問：「你平定突厥時用的是奇兵，如今卻要用正兵，這是爲什麼呢？」

李靖回答：「諸葛亮七擒孟獲沒有用別的戰法，只運用了正兵。」

原文 **太宗曰：「晉馬隆討涼州，亦是依八陣圖，作偏箱車。地廣，則用鹿角車營；路狹，則爲木屋施於車上，且戰且前。信乎，正兵古人所重也！」**

靖曰：「臣討突厥，西行數千里。若非正兵，安能致遠？

偏箱、鹿角，兵之大要：一則治力，一則前拒，一則東部伍。三者迭相爲用，斯馬隆所得古法深矣！」

譯文 太宗說：「西晉馬隆討伐涼州時，也是依照八陣圖的戰法，製造偏箱車。在寬闊地帶，就使用鹿角車營的陣形；在狹窄的道路上，就做成木屋，放在車上，一邊戰鬥，一邊前進。可以相信，古人非常重視正規作戰的方法啊！」

李靖說：「我討伐突厥時，向西走了好幾千里。如果不是用正兵，哪裏能走這麼遠？偏箱車、鹿角車營，是用兵的關鍵：一方面是爲了掌握軍隊的戰鬥力，一方面可以作爲先鋒部隊抵制敵人攻擊，一方面可以約束自己的隊伍。這三個方面交相發揮作用，馬隆對古代戰法的理解是多麼的精深啊！」

原文 **太宗曰：「朕破宋老生，初交鋒，義師少卻。朕親以鐵騎自南原馳下，橫突之，老生兵斷後，大潰，遂擒之。此正兵**

乎？奇兵乎？」

靖曰：「陛下天縱聖武，非學而能。臣案兵法，自黃帝以來，先正而後奇，先仁義而後權譎。且霍邑之戰，師以義舉者，正也；建成墜馬，右軍少卻者，奇也。」

譯文　太宗說：「我擊敗宋老生的那次戰役，剛一交鋒，我軍稍稍退後。我親自率領騎兵從南邊的平原飛馳而來，橫衝敵軍的陣營，老生軍隊的後路被切斷後，大敗，因此擒獲了老生。這是用正兵呢，還是用奇兵呢？」

李靖回答：「陛下的英明神武是上天賦予的，並不是靠學習得來的。我根據兵法看，從黃帝以來，大凡戰爭都是先用正兵後用奇兵，先用仁義，後用權謀詭詐。況且在霍邑之戰中，我軍以正義出師，就是正兵；建成在戰場上突然落馬，右翼部隊稍微後退，就是奇兵。」

原文　太宗曰：「彼時少卻，幾敗大事，曷謂奇邪？」

唐高祖李淵

李淵爲唐朝開國皇帝，他稱帝後，一面組織力量統一全國，一面加強社會建設，使唐朝的各項制度初具規模。

靖曰：「凡兵，以前向爲正，後卻爲奇。且右軍不卻，則老生安致之來哉？《法》曰：『利而誘之，亂而取之。』老生不知兵，恃勇急進，不意斷後，見擒於陛下。此所謂以奇爲正也。」

譯文　太宗說：「那時右翼軍稍微後退，差點壞了大事，爲什麼說是用了奇兵呢？」

李靖回答：「大凡用兵作戰，以正面向前推進爲正兵，以向後退卻爲奇兵。況且如果右翼軍不向後退，那麼如何能誘使老生前來呢？《孫子兵法》說：『要用利益來引誘敵人，乘亂攻取敵人。』老生不懂得用兵，自恃勇敢，急速前進，沒有料到後路被切斷了，從而被陛下擒獲。這就是所謂變奇兵爲正兵。」

原文　太宗曰：「霍去病暗與孫、吳合，誠有是夫！當右軍之卻也，高祖失色，及朕奮擊，反爲我利。孫、吳暗合，卿實知言。」

譯文　太宗說：「霍去病用兵經常與孫、吳的兵法不謀而合，確有此事啊！當右翼軍後退時，高祖大驚失色，等到我奮勇反擊時，反而對我們有利。這也是與孫、吳的兵法不謀而合，你的分析精闢極了。」

原文　太宗曰：「凡兵卻，皆謂之奇乎？」

靖曰：「不然。夫兵卻，旗參差而不齊，鼓大小而不應，令喧囂而不一，此真敗卻也，非奇也；若旗齊鼓應，號令如一，紛紛紜紜，雖退走，非敗也，必有奇也。《法》曰：『佯北勿追。』又曰：『能而示之不能。』皆奇之謂也。」

譯文　太宗問：「凡是軍隊後退都可以說是用奇兵嗎？」

李靖回答：「不是這樣。軍隊後退，如果旗幟參差不齊，東倒西歪，鼓聲大小不一而不相呼應，號令喧囂而不一致，這是真正的失敗後退，而不是用

奇兵；如果旗幟整齊，鼓聲相呼應，號令統一，雖然表面上紛紜雜亂，而且向後退走，卻不是真正失敗後退，而是一定在用奇兵。《孫子兵法》說：『敵人假裝敗退時不能追擊。』又說：『能進攻卻裝出不能進攻的樣子。』這些都是所說的用奇兵。」

【原文】太宗曰：「霍邑之戰，右軍少卻，其天乎？老生被擒，其人乎？」

靖曰：「若非正兵變爲奇，奇兵變爲正，則安能勝哉？故善用兵者，奇正在人而已。變而神之，所以推乎天也。」

太宗俯首。

【譯文】太宗問：「在霍邑之戰中，右翼軍稍微後退，是上天的安排嗎？老生被擒獲，是人之所爲嗎？」

李靖回答：「如果不是使正兵變爲奇兵，使奇兵變爲正兵，那怎麼能取勝

呢？所以，善於用兵的人，是用奇兵還是用正兵祇在於人爲罷了。由於變化已經達到出神入化的境界，所以人們往往把它歸結爲天意。」

太宗表示贊同。

【原文】太宗曰：「奇正素分之歟？臨時制之歟？」

靖曰：「案《曹公新書》曰：『己二而敵一，則一術爲正，一術爲奇；己五而敵一，則三術爲正，二術爲奇。』此言大略爾。唯孫武云：『戰勢不過奇正，奇正之變，不可勝窮。奇正相生，如循環之無端，孰能窮之？』斯得之矣，安有素分之邪？若士卒未習吾法，偏裨未熟吾令，則必爲之二術。教戰時，各認旗鼓，迭相分合，故曰分合爲變，此教戰之術爾。教閱既成，衆知吾法，然後如驅群羊，由將所指，孰分奇正之別哉？孫武所謂『形人而我無形』，此乃奇正之極致。是以素分

靖對曰：臣按曹公《新書》有曰：己二軍，敵一軍，則我以一術為正，以一術為奇；己五軍，敵一軍，則我以三術為正，以二術為奇。此但言其大略耳。假如己一而敵二，己一而敵五，則以何術為正，以何術為奇乎？故云：曹公但言奇正之大略，非奇正之深妙者也。

者，教閱也；臨時制變者，不可勝窮也。」

太宗曰：「深乎，深乎！曹公必知之矣。但《新書》所以授諸將而已，非奇正本法。」

譯文 太宗問：「奇兵與正兵是平時就已經分開的呢，還是根據戰場的實際情況臨時決定的呢？」

李靖回答：「根據《曹公新書》所說的：『如果我方的兵力兩倍於敵人時，就以一部分爲正兵，以一部分爲奇兵；如果我方的兵力五倍於敵人，就以五分之三的兵力爲正兵，五分之二的兵力爲奇兵。』這種說法祇是一種大概的說法。唯獨孫武說：『作戰的陣勢祇有奇兵和正兵兩種，奇兵與正兵之間的變化是沒有窮盡的。奇兵與正兵互相轉化，就像循環往覆的運動一樣，沒有開始也沒有結束，誰能使它窮盡呢？』這種說法很對，哪裏有平時就對奇正加以區分的呢？如果士兵不熟習我的兵法，偏將和裨將不熟習我的號令，那麼

就一定要區分奇正兩個部分來訓練他們。訓練他們作戰時，要讓各個部隊識別旗幟和鼓音，輪流反復地進行分散和集中地訓練，所以說奇正的區分和分散與集中的變化，就是訓練部隊學習和掌握奇正的方法。訓練成功後，衆人都知道了我的用兵方法，然後就能像驅趕牛羊一樣，遵從將領的指揮，誰還再區分奇正呢？孫武所說的『明察敵人的情況而我軍則不被敵人明察』，就是奇正運用的最高境界。所以，平時區分奇正，是爲了訓練；臨戰時根據情況靈活運用奇正變化，纔是無窮無盡的。」

太宗說：「深奧啊！深奧啊！曹公一定深知其中的奧秘。但是曹公的《新書》祇是用來教授諸將的一些基本方法，並不是論述奇正的根本法則。」

原文 太宗曰：「曹公云『奇兵旁擊』，卿謂若何？」

靖曰：「臣按曹公注《孫子》曰：『先出合戰爲正，後出爲奇。』此與旁擊之說異焉。臣愚謂大衆所合爲正，將所自出

爲奇，烏有先後旁擊之拘哉？」

【譯文】太宗問：「曹公說『所謂奇兵就是從旁邊出擊』，你認爲這種說法如何？」

李靖回答：「我根據曹公注《孫子》所說：『先出來同敵人交戰的部隊是正兵，然後再出來交戰的部隊是奇兵。』這與旁擊的說法不同。我認爲主力部隊與敵人正面交鋒作戰就是正兵，將帥根據實際情況親自作出作戰方案並率領軍隊出擊就是奇兵，哪裏有先後、旁擊的限制呢？」

【原文】太宗曰：「吾之正，使敵視以爲奇；吾之奇，使敵視以爲正，斯所謂『形人者』歟？以奇爲正，以正爲奇，變化莫測，斯所謂『無形者』歟？」

靖再拜曰：「陛下神聖，迥出古人，非臣所及。」

【譯文】太宗說：「我使用正兵，卻能讓敵人誤認爲我使用奇兵；我使用奇兵，卻能讓敵人誤認爲我使用正兵，這就是所謂『使敵人的內部情況表現於外』吧？以奇兵爲正兵，以正兵爲奇兵，變化莫測，這就是所謂的無形吧？」

李靖向太宗拜了兩拜說：「陛下聖明，超出了古人，不是我所能達到的。」

【原文】太宗曰：「分合爲變者，奇正安在？」

靖曰：「善用兵者，無不正，無不奇，使敵莫測。故正亦勝，奇亦勝。三軍之士，止知其勝，莫知其所以勝。非變而能通，安能至是哉？分合所出，唯孫武能之。吳起而下，莫可及焉。」

【譯文】太宗說：「根據集中或分散兵力的方式來變化戰術，什麼地方表現的是奇兵？什麼地方表現的是正兵？」

李靖回答：「善於用兵的人，沒有不用正兵的，也沒有不用奇兵的，使敵人意料不到。所以，用正兵能夠取勝，用奇兵也能取勝。三軍的將士，衹知道他們取得了勝利，但是不知道他們爲什麼取得了勝利。如果不能將戰術變化

融會貫通，哪裏能達到如此地步呢？能夠巧妙地做出集中或分散兵力的戰術變化，衹有孫武能夠做到。吳起以下，沒有誰能夠達到這種程度。」

原文

太宗曰：「吳術若何？」

靖曰：「臣請略言之。魏武侯問吳起兩軍相向。起曰：『使賤而勇者前擊，鋒始交而北，北而勿罰，觀敵進取。一坐一起，奔北不追，則敵有謀矣；若悉衆追北，行止縱橫，此敵人不才，擊之勿疑。』臣謂吳術大率多此類，非孫武所謂以正合也。」

譯文

太宗問：「吳起的用兵之術如何？」

李靖回答：「我請求概略地說一說。魏武侯問吳起，兩軍對壘時互相觀察對方的兵力，應該怎麼做。吳起回答：『命令地位低下且勇敢的士兵向前攻擊，剛一交戰就假裝敗退，他們敗退之後不要處罰他們，藉此觀察敵軍的一舉一動。如果敵軍的前進和停止都有節奏，我軍敗退後不來追擊，說明敵將有謀略；如果率領全部部隊追擊我軍，並且前進和停止不統一，隊列不整齊，說明敵將沒有才能，可以毫不遲疑地還擊。』我認爲吳起的用兵之術大致就是這一類，並不是孫武所說的運用正兵交戰的戰術。」

原文

太宗曰：「卿舅韓擒虎嘗言，卿可與論孫、吳，亦奇正之謂乎？」

靖曰：「擒虎安知奇正之極？但以奇爲奇，以正爲正爾，曾未知奇正相變，循環無窮者也。」

譯文

太宗問：「你的舅舅韓擒虎曾經說，你的才能足以與他談論孫武和吳起的兵法，你們談論的也是關於奇兵和正兵的問題嗎？」

李靖回答：「擒虎哪裏懂得奇正變化的深奧呢？不過僅僅懂得奇兵是奇兵，正兵是正兵的區分罷了，從來不懂得奇正之間互相轉換，是循環無窮盡的。」

原文　太宗曰：「古人臨陳出奇，攻人不意，斯亦相變之法乎？」

靖曰：「前代戰鬥，多是以小術而勝無術，以片善而勝無善，斯安足以論兵法也！若謝玄之破苻堅，非謝玄之善也，蓋苻堅之不善也。」

譯文　太宗問：「古人在臨陣時出奇變化，在敵人意料不到時發動攻擊，這也是奇正變化的法則嗎？」

李靖回答：「古代的戰鬥，大多是有一些雕蟲小技的人戰勝毫無謀略的人，稍微善於用兵的人戰勝不懂得用兵的人，這哪裏談得上真正懂得兵法啊！像謝玄打敗苻堅，並不是因爲謝玄善於用兵，而是因爲苻堅太不懂得用兵。」

原文　太宗顧侍臣檢《謝玄傳》，閱之，曰：「苻堅甚處是不善？」

靖曰：「臣觀《苻堅載記》曰：秦諸軍皆潰敗，唯慕容垂一軍獨全。堅以千餘騎赴之，垂子寶勸垂殺堅，不果。此有以見秦軍之亂，慕容垂獨全，蓋堅爲垂所陷明矣。夫爲人所陷而欲勝敵，不亦難乎？臣故曰無術焉，苻堅之類是也。」

太宗曰：「《孫子》謂多算勝少算，有以知少算勝無算。凡事皆然。」

譯文　太宗回頭看侍臣，令其找出《謝玄傳》，翻看後，問：「苻堅用兵哪些地方處理不當？」

李靖回答：「我看《苻堅載記》上說：前秦諸多部隊都潰敗了，唯獨慕容垂的部隊得以保全。苻堅帶領數千名騎兵來投奔他，慕容垂之子慕容寶勸慕容垂殺死苻堅，沒有形成事實。由此可以看到前秦軍隊是多麼混亂，唯獨慕容垂能夠得以保全，這說明苻堅被慕容垂陷害是十分明顯的事實。被人陷害

假使苻堅有術，阻淝水而不退，命垂等分為左右二拒：一出淝水之上，掩晉軍之右；一出淝水之下，襲晉軍之左。堅整中軍，伺晉之亂，直渡淝水蹴之，雖韓、白亦不能支，況謝玄、牢之徒歟！晉兵敗，而垂敢為亂乎？慕容垂本燕王之子，初名霸，後改名垂，封吳王。畏太后可足渾氏而奔秦，豈真為堅用哉？

而想戰勝敵人，難道不困難嗎？所以我說，不懂得用兵的人，就是苻堅這一類人。」

太宗說：「《孫子》認爲，謀劃周密就能打敗謀劃不周密的，由此可知，稍微謀劃的就能戰勝毫無謀劃的。凡事都是這樣的。」

原文

太宗曰：「黃帝兵法，世傳《握奇文》，或謂爲《握機文》，何謂也？」

靖曰：「奇，音機，故或傳爲機，其義則一。考其詞曰：『四爲正，四爲奇，餘奇爲握機。』奇，餘零也，因此音機。臣愚謂兵無不是機，安在乎握而言也？當爲餘奇則是。夫正兵受之於君，奇兵將所自出。《法》曰：『令素行以教其民者，則民服。』此受之於君者也。又曰：『兵不豫言，君命有所不受。』此將所自出者也。凡將，正而無奇，則守將也；奇而無正，則鬥將也；奇正皆得，國之輔也。是故握機握奇，本無二法，在學者兼通而已。」

譯文

太宗說：「黃帝的兵法，世人傳爲《握奇文》，也有人說是《握機文》，這怎麼講？」

李靖回答：「奇這個字，讀音是機，所以有人傳爲機，它們的意思是一樣的。考查其中的言詞：『四方爲正兵，四隅爲奇兵，餘下的奇兵由大將掌握，所以稱爲握機。』奇，就是剩餘的意思，因此，奇的讀音是機。我認爲，在戰場上無處不隱藏著戰機，哪裏有什麼專門掌握的戰機？應當理解爲掌握機動部隊，並隨機應變。正兵是用來執行國君的命令的部隊，奇兵則是將領根據戰場的實際情況靈活運用的兵力。《孫子兵法》說：『平素就能貫徹命令，管教士兵，士兵就能養成習慣。』這就是按照國君的命令行事的正兵。又說：『戰爭的情勢發展不可以預言，有時可以拒絕執行國君的命令。』這就是將領

根據實情靈活運用。凡是做將領的，只用正兵而不用奇兵，是守將；只用奇兵而不用正兵，是鬥將；既用奇兵又用正兵，纔是輔佐國家的良將。所以，握機和握奇本無二法，關鍵在於學者能將兩者融會貫通。」

【原文】 太宗曰：「陳數有九，中心零者，大將握之，四面八向，皆取準焉。陳間容陳，隊間容隊；以前爲後，以後爲前；進無速奔，退無遽走；四頭八尾，觸處爲首；敵衝其中，兩頭皆救；數起於五，而終於八。此何謂也？」

靖曰：「諸葛亮以石縱橫佈爲八行，方陳之法即此圖也。臣嘗教閱，必先此陳。世所傳《握機文》，蓋得其粗也。」

【譯文】 太宗說：「一般軍陣分爲九個小的方陣，中央的一陣是餘零之兵，由大將掌握，四方四隅，都以向中央看齊爲準則。大陣之中包含小陣，大隊之中包含小隊；前陣可以作後陣，後陣也可以作前陣；前進時不迅速奔走，後

孔明祁山佈八陣

八陣圖是諸葛亮爲禦敵而以亂石堆成石陣創設的一種陣法。按遁甲分成生、傷、休、杜、景、死、驚、開八門，變化萬端，能夠抵擋十萬精兵。

退時不倉猝逃跑；方陣的四頭八尾，哪部分與敵人遭遇，哪部分就是陣首；敵人如果攔腰沖擊方陣，兩頭就來相救；佈陣的數目最初是五個，後來演變成八個。這是什麼道理呢？」

李靖回答：「諸葛亮曾經用石塊縱橫排列成八行，八陣的佈陣方法，就是此圖。我過去訓練部隊陣法，一定先從這種陣法開始。現在世間所傳的《握機文》，僅僅衹是說明了一下梗概罷了。」

原文

太宗曰：「天、地、風、雲、龍、虎、鳥、蛇，斯八陳何義也？」

靖曰：「傳之者誤也。古人秘藏此法，故詭設八名爾。八陳本一也，分爲八焉。若天、地者，本乎旗號；風、雲者，本乎旛名；龍、虎、鳥、蛇者，本乎隊伍之別。後世誤傳，詭設物象，何止八而已乎？」

譯文

太宗問：「天、地、風、雲、龍、虎、鳥、蛇，這八種陣形是什麼意思呢？」

李靖回答：「這是後人在訛傳時發生了錯誤。古人對此法是秘藏不洩的，所以虛構了八個名稱。八陣本爲一體，被分成了八個部分。像天、地，本來是一種旗幟的徽號；風、雲，本來是一種旗幟的名稱；龍、虎、鳥、蛇，本來是隊伍的不同稱號。後世誤傳，虛構物象，何止這八種啊？」

原文

太宗曰：「數起於五，而終於八，則非設象，實古制也。卿試陳之。」

靖曰：「臣案黃帝始立丘井之法，因以制兵。故井分四道，八家處之，其形井字，開方九焉。五爲陳法，四爲間地，此所謂數起於五也；虛其中，大將居之，環其四面，諸部連繞，此所謂終於八也。及乎變化制敵，則紛紛紜紜，鬥亂而法不亂；

渾渾沌沌，形圓而勢不散。此所謂散而成八，複而爲一者也。」

【譯文】太宗說：「佈陣的數目最初是五個，最後推演到八個，這並不是由於假設物象的緣故，而確實是古代的一種陣法。你試著給我講一講。」

李靖說：「黃帝最初設立丘井之法，並以此制定出管理軍隊的方法。一井分爲四道，由八家居民共處一井，它的形狀就像一個井字，正好將土地分爲九塊。以前後左右中爲五陣，四隅爲閒地，這就是佈陣之數起於五的由來；把位於中央的陣地空出來，由大將居中指揮，它的周圍四面，各陣都環繞相連，這就是佈陣之數終於八的由來。到了變化陣形克制敵人的時候，就顯得十分紛亂，戰鬥顯得混亂而陣法不亂；有時混亂得如同翻江倒海一般，陣形變成圓形，而陣勢卻沒有消散。這就是所說的散開就是八個小陣，合在一起又變成一個大陣。」

【原文】太宗曰：「深乎，黃帝之制兵也！後世雖有天智神略，

莫能出其閫閾，降此孰有繼之者乎？」

靖曰：「周之始興，則太公實繕其法：始於岐都，以建井畝；戎車三百輛，虎賁三千人，以立軍制；六步七步，六伐七伐，以教戰法。陳師牧野，太公以百夫制師，以成武功，以四萬五千人勝紂七十萬衆。周《司馬法》，本太公者也。太公既沒，齊人得其遺法。至桓公霸天下，任管仲，復修太公法，謂之節制之師，諸侯畢服。」

【譯文】太宗說：「黃帝制定的兵制真深奧啊！後人雖然有高超的智慧、深遠的謀略，但是誰也沒能夠超出他的思想，從此以後，誰能繼承他的兵法呢？」

李靖回答：「周朝開始興起的時候，姜太公就修訂整理過黃帝的兵法：從岐都開始，建立井田制度；擁有戰車三百輛，勇士三千人，創建了周朝的軍

樂毅，魏人，樂羊之後。居靈壽，聞燕昭王賢，乃歸之。王以為亞卿，後破齊有功，封昌國君。昭王崩，子惠王立，疑之。遂西走趙，趙封毅於觀津，號曰望諸君。

事制度；確立了六步七步、六伐七伐的作戰訓練方法。在牧野駐軍隊，擺開陣勢，姜太公以百名勇士編成軍隊，成就了武功，用四萬五千人戰勝了商紂七十萬大軍。周代的《司馬法》原本是姜太公的兵法。姜太公死了之後，齊國人得到他遺留下來的兵法。到齊桓公稱霸天下時，任用管仲，重新整理姜太公的兵法，齊國的軍隊被稱為紀律嚴明、訓練有素的軍隊，其他諸侯國全都因此畏服歸附齊國。」

原文

太宗曰：「儒者多言管仲霸臣而已，殊不知兵法乃本於王制也。諸葛亮王佐之才，自比管、樂，以此知管仲亦王佐也。但周衰時，王不能用，故假齊興師爾。」

譯文

太宗說：「儒家多說管仲不過是一個以霸道治天下的謀臣罷了，卻不懂得他的兵法本源是王道。諸葛亮是輔佐帝王的賢才，常將自己比作管仲、樂毅，從這裏可以得知管仲也是輔佐帝王的賢才。但是周朝衰弱時，周王不能任用管仲，所以他只好轉而憑藉齊國的力量興師以匡正天下。」

原文

靖再拜曰：「陛下神聖，知人如此。老臣雖死，無愧昔賢也。臣請言管仲制齊之法：三分齊國，以為三軍；五家為軌，故五人為伍；十軌為里，故五十人為小戎；四里為連，故二百人為卒；十連為鄉，故二千人為旅；五鄉一師，故萬人為軍。亦猶《司馬法》一師五旅，一旅五卒之義焉。其實皆得太公之遺法。」

譯文

李靖拜了兩拜說：「陛下聖明神武，知人透徹到了如此地步。我即便現在就死去，也無愧於先賢了。我請求說明管仲治理齊國的方法：將齊國的民眾分為三個部分，建立三軍；五家為一軌，所以五人為一伍；十軌為一里，所以五十人為一小戎；四里為一連，所以二百人為一卒；十連為一鄉，所以二千人為一旅；五鄉為一師，所以一萬人為一軍；也就像《司馬法》中

所規定的軍制一樣，一師分爲五旅，一旅分爲五卒。其實這些都是根據姜太公遺留的兵法得來的。」

原文

太宗曰：「《司馬法》人言穰苴所述，是歟？否也？」

靖曰：「案《史記・穰苴傳》，齊景公時，穰苴善用兵，敗燕、晉之師，景公尊爲司馬之官，由是稱司馬穰苴，子孫號司馬氏。至齊威王，追論古《司馬法》，又述穰苴所學，遂有《司馬穰苴書》數十篇。今世所傳兵家流，又分權謀、形勢、陰陽、技巧四種，皆出《司馬法》也。」

譯文

太宗問：「人們都說《司馬法》是司馬穰苴著述的，這種說法是正確的，還是錯誤的？」

李靖回答：「根據《史記・穰苴傳》記載，齊景公時，穰苴善於用兵，曾經擊敗燕國的軍隊和晉國的軍隊，被景公加封爲司馬，因此被稱爲司馬穰苴，

他的子孫後代也號稱司馬氏。到了齊威王時，研討古代的《司馬法》，並整理了穰苴的兵法，於是就有了《司馬穰苴書》數十篇。現在所流傳下來的兵家流派，又分爲兵權謀、兵形勢、兵陰陽、兵技巧四種，都是出自《司馬法》。」

原文

太宗曰：「漢張良、韓信序次兵法，凡百八十二家，刪取要用，定著三十五家。今失其傳，何也？」

靖曰：「張良所學，《太公六韜》、《三略》是也；韓信所學，穰苴、孫武是也。然大體不出三門四種而已。」

譯文

太宗說：「漢代的張良、韓信編排整理兵書，共整理出一百二十八家，經過篩選取捨，最後定爲三十五家。現在這些兵書都失傳了，是什麼原因呢？」

李靖回答：「張良所學的是《太公六韜》、《三略》；韓信所學的是穰苴兵法、孫武兵法。然而這些兵書的類別大體上不外乎三門四種。」

原文

太宗曰：「何謂『三門』？」

靖曰：「臣案《太公・謀》八十一篇，所謂陰謀，不可以言窮；《太公・言》七十一篇，不可以兵窮；《太公・兵》八十五篇，不可以財窮。此三門也。」

譯文

太宗問：「什麼叫『三門』？」

李靖回答：「我認爲《太公・謀》八十一篇爲第一門，其中所講的詭計、謀略不可以言盡其意；《太公・言》七十一篇爲第二門，其中所講的深奧玄理，不可以兵窮其妙；《太公・兵》八十五篇爲第三門，其中所講的用兵之道，不可以財窮其術。這就是所謂的三門。」

原文

太宗曰：「何謂『四種』？」

靖曰：「漢任宏所論是也。凡兵家流，權謀爲一種，形勢爲一種，及陰陽、技巧二種，此四種也。」

譯文

太宗問：「什麼叫『四種』？」

李靖回答：「漢代的任宏所論述的是正確的。所有的兵家流派可以劃分爲四種，兵權謀是一種，兵形勢是一種，以及兵陰陽、兵技巧兩種，這就是所謂的四種。」

原文

太宗曰：「《司馬法》首序蒐狩，何也？」

靖曰：「順其時而要之以神，重其事也。《周禮》最爲大政：成有岐陽之蒐，康有酆宮之朝，穆有塗山之會，此天子之事也。及周衰，齊桓有召陵之師，晉文有踐土之盟，此諸侯奉行天子之事也。其實用九伐之法以威不恪。假之以朝會，因之以巡狩，訓之以甲兵，言無事兵不妄舉，必於農隙，不忘武備也。故首序蒐狩，不其深乎！」

譯文

太宗問：「《司馬法》一開始就講述檢閱練兵，這是爲什麼呢？」

李靖回答：「利用農閒時節檢閱、訓練軍隊，同時祭祀宗廟，求神庇佑，這是為了表示對武備的重視。《周禮》將這件事列為最重要的政事：周成王曾在岐山之南檢閱軍隊，周康王曾在酆宮接受朝覲，周穆王曾在塗山會見諸侯，這是天子應該做的事情。等到周王室衰微後，齊桓公曾在召陵會師，晉文公曾在踐土盟約，這是諸侯假藉天子之命做的事情。其目的是為了用九伐之法的威力來威懾那些不聽王命的諸侯。假藉朝會的名義，利用巡狩的機會，進行軍事訓練，說沒有大事發生就不要妄動干戈，在農閒時候一定不要忘了備戰練兵。所以《司馬法》開篇就論述檢閱練兵，其用意實在是深遠啊！」

原文

太宗曰：「春秋楚子二廣之法云：『百官象物而動，軍政不戒而備。』此亦得周制歟？」

靖曰：「案左氏說，楚子乘廣三十乘，廣有一卒，卒偏之兩。軍行右轅，以轅為法，故挾轅而戰，皆周制也。臣謂百人曰卒，五十人曰兩，此是每車一乘，用士百五十人，比周制差多爾。周一乘，步卒七十二人，甲士三人。以二十五人為一甲，凡三甲，共七十五人。楚山澤之國，車少而人多，分為三隊，則與周制同矣。」

譯文

太宗說：「春秋時楚子的二廣之法說：『各級軍官按照旌旗的指揮行動，全軍上下不等待下令就戒備好了。』這也是源於周朝的軍制嗎？」

李靖回答：「根據《春秋左氏傳》記載，楚子的戰車一廣三十輛，共有左右兩廣，每廣為一卒，每卒分為兩偏。軍隊前行時，步兵在戰車右轅一側展開，進退左右都以右轅為準，所以稱為圍繞右轅進行戰鬥，這些都是周朝的軍制。我認為一百人為一卒，五十人為一兩，這就是指，每一輛車為一乘，共需士兵一百五十人，與周朝的制度相比要差很多。周朝的制度是，一乘需步兵七十二人，甲士三人。以二十五人為一甲，共需三甲，合計七十五人。楚國

多山多水，戰車少，士兵多，卻仍然採用卒、偏、乘的三級編制，其編制軍隊的方法基本上與周朝的制度相同。」

原文 太宗曰：「春秋荀吳伐狄，毀車爲行，亦正兵歟？奇兵歟？」

靖曰：「荀吳用車法爾，雖捨車而法在其中焉。一爲左角，一爲右角，一爲前拒，分爲三隊，此一乘法也，千萬乘皆然。臣案《曹公新書》云：攻車七十五人，前拒一隊，左、右角二隊；守車一隊，炊子十人，守裝五人，廄養五人，樵汲五人，共二十五人。攻守二乘，凡百人。興兵十萬，用車千乘，輕重二千，此大率荀吳之舊法也。又觀漢、魏之間軍制：五車爲隊，僕射一人；十車爲師，率長一人；凡車千乘，將吏二人。多多仿此。臣以今法參用之，則跳蕩，騎兵也；戰鋒隊，步騎

姜維祁山戰鄧艾

地形是影響戰爭勝負的因素之一，一定要依據地形來作戰。二五六年蜀國大將軍姜維出兵祁山，鄧艾率軍據險拒守。姜維見地利已失，強攻不克，乃於當夜渡渭水東進，沿山路進取上邽。兩軍戰於段谷。鄧艾大敗蜀軍，蜀軍士卒死傷甚衆。

相半也；駐隊，兼車乘而出也。臣西討突厥，越險數千里，此制未嘗敢易。蓋古法節制，信可重焉。」

【譯文】太宗問：「春秋時荀吳討伐狄人，捨棄戰車改用步兵，這是用正兵還是用奇兵呢？」

李靖回答：「荀吳所採用的是車戰之法，雖然棄車不用，但使用的仍然是車戰之法。當時他以一隊爲左翼，一隊爲右翼，一隊爲前鋒，共分爲三隊，這正是一乘戰車的戰鬥隊形，就是千乘、萬乘，也是這種隊形。根據《曹公新書》的說法：進攻的戰車一乘七十五人，前鋒一隊，左翼、右翼各一隊；負責守備的戰車一隊，配置的人員有炊事兵十人，守衛裝備的五人，養馬的五人，打柴汲水的五人，共二十五人。負責進攻的和負責守備的車隊人數共一百人。因此，出兵十萬，使用戰車一千輛，輜重車一千輛，輕重戰車共兩千輛，這大概是荀吳舊式車戰的編制之法。再考察漢魏時期的軍隊編制：以五車爲一隊，設僕射一人；十車爲一師，設率長一人；每一千輛戰車，設將吏二人。如果再增加戰車，以此類推。我根據現在的編制參照古法，那麼戰前衝鋒陷陣的部隊全用騎兵；戰爭中的前鋒部隊用騎兵和步兵各半；援軍部隊要兼有戰車隊，戰時一起出動。我西進討伐突厥時，即使跨越數千里險阻之地，也不敢輕易改動這種編制。這是因爲古代軍制完備嚴謹，確實值得重視。」

【原文】太宗幸靈州回，召靖，賜坐，曰：「朕命道宗及阿史那社爾等討薛延陀，而鐵勒諸部乞置漢官，朕皆從其請。延陀西走，恐爲後患，故遣李勣討之。今北荒悉平，然諸部蕃漢雜處，以何道經久，使得兩全安之？」

【譯文】太宗臨幸靈州後返回京城，召見李靖，並賜坐，然後說：「我命令道宗和阿史那社爾等討伐薛延陀，而鐵勒諸部乞求設置漢官，前往管理，我已經同意了他們的要求。延陀部族向西逃竄，恐怕會成爲後患，所以派遣李

動率兵討伐。現在北邊地區都已經得到平定，但是各個少數民族與漢族雜居，用什麼方法纔能使雙方長期和睦相處呢？」

原文

靖曰：「陛下敕自突厥至回紇部落，凡置驛六十六處，以通斥候，斯已得策矣。然臣愚以謂漢戍宜自爲一法，蕃落宜自爲一法，教習各異，勿使混同。或遇寇至，則密敕主將，臨時變號易服，出奇擊之。」

譯文

李靖回答：「陛下命令自突厥至回紇的部落中，共設置驛站六十六處，方便往來的偵察人員傳遞情報，這已經是一個非常好的解決方法了。但是我認爲，戍邊的漢族部隊還是應該有自己的一套管理和訓練的方法，外族部落也應該有一套特殊的管理和訓練的方法，這兩套方法必須有區別，不能混同。如果遇到敵寇來犯，就密令主將下達命令，使漢兵和外族士兵臨時變換旗號和服裝，出奇兵打擊他們。」

原文

太宗曰：「何道也？」

靖曰：「此所謂『多方以誤之』之術也。蕃而示之漢，漢而示之蕃，彼不知蕃漢之別，則莫能測我攻守之計矣。善用兵者，先爲不可測，則敵『乖其所之』也。」

太宗曰：「正合朕意，卿可密教邊將。祇以此，蕃漢便見奇正之法矣。」

靖再拜曰：「聖慮天縱，聞一知十，臣安能極其說哉！」

譯文

太宗問：「這是什麼道理？」

李靖回答：「這就是所謂的『採用各種方法來迷惑敵人』的方法。外族士兵被敵人視爲漢兵，漢兵被敵人視爲外族士兵，他們不知道外族士兵和漢兵的區別，就不能窺測到我方攻守的策略。善於用兵的人，首先要使作戰意圖變得高深莫測，那麼就能使敵人『背離他所要去的地方』。」

太宗說：「你說的辦法正好與我的心意相合，你可以用這一辦法秘密地教授給邊塞將領。只憑藉這一外族部隊和漢族部隊不可區別的辦法，就可以表現出奇正變化之道。」

李靖拜了兩拜說：「聖上的英明是天賦的，聞一知十，我怎麼能夠說得詳盡啊！」

【原文】 太宗曰：「諸葛亮言：『有制之兵，無能之將，不可敗也；無制之兵，有能之將，不可勝也。』朕疑此談非極致之論。」

靖曰：「武侯有所激云爾。臣案《孫子》曰：『教道不明，吏卒無常，陳兵縱橫，曰亂。』自古亂軍引勝，不可勝紀。夫教道不明者，言教閱無古法也；吏卒無常者，言將臣權任無久職也；亂軍引勝者，言己自潰敗，非敵勝之也。是以武侯言，兵卒有制，雖庸將未敗；若兵卒自亂，雖賢將危之，又何疑焉？」

【譯文】 太宗說：「諸葛亮說：『紀律嚴明的軍隊，即使將領無能，也不會被打敗；紀律不嚴明的軍隊，即使將領有才能，也不能打勝仗。』我懷疑這種說法並不是正確的觀點。」

李靖說：「這是諸葛亮有感而發的言論。《孫子兵法》說：『對軍隊的指揮訓練沒有章法，將士關係混亂，沒有規矩，出兵列陣雜亂無序，這稱爲亂。』自古以來，通過把自己的軍隊搞亂而致使敵人取得勝利的情況，不可勝數。所謂對軍隊的指揮訓練沒有章法，指的是軍隊訓練沒有遵循古代的良法；所謂將士沒有規矩，指的是軍官的職務和權力經常變動；所謂把自己的軍隊搞亂致使敵人取得勝利，是指自己內部先潰敗，而不是敵人戰勝了自己。所以諸葛亮說，軍隊紀律嚴明，儘管是平庸的將領指揮，也不會戰敗；如果軍隊

不戰自亂，即使是賢明的將領指揮，也是很危險的，這還有什麼值得懷疑的呢？」

【原文】太宗曰：「教閱之法，信不可忽。」

靖曰：「教得其道，則士樂爲用；教不得法，雖朝督暮責，無益於事矣。臣所以區區古制皆纂以圖者，庶乎成有制之兵也。」

太宗曰：「卿爲我擇古陳法，悉圖以上。」

【譯文】太宗說：「訓練和考核士兵是否得法，確實不容忽視。」

李靖說：「如果訓練得法，那麼士兵就樂於聽從命令；如果訓練不得法，即使早上監督，晚上責罰，也起不到作用。所以我一心一意把古代訓練方法編撰出來，並繪制成圖，就是希望通過這些將隊伍訓練成爲紀律嚴明、訓練有素的隊伍。」

太宗說：「那就請你爲我選擇古代陣法，並且繪制成圖呈送上來。」

【原文】太宗曰：「蕃兵唯勁馬奔衝，此奇兵歟？漢兵唯強弩犄角，此正兵歟？」

靖曰：「案《孫子》云：『善用兵者，求之以勢，不責於人，故能擇人而任勢。』夫所謂擇人者，各隨蕃漢所長而戰也。蕃長於馬，馬利乎速鬥；漢長於弩，弩利乎緩戰。此自然各任其勢也，然非奇正所分。臣前曾述蕃漢必變號易服者，奇正相生之法也。馬亦有正，弩亦有奇，何常之有哉！」太宗曰：「卿更細言其術。」

靖曰：「先形之，使敵從之，是其術也。」

【譯文】太宗問：「少數民族士兵作戰經常依仗戰馬突襲、衝擊，這是用奇兵嗎？漢族士兵經常依仗強弩牽制、夾擊，這是用正兵嗎？」

李靖回答：「《孫子兵法》說：『善於用兵的人，總是努力創造有利的勢態，而不苛求於部屬，所以能選擇人才去利用或創造有利的勢態。』所以選擇人才，就是讓少數民族的士兵和漢族士兵都能在戰場上發揮各自的優勢來進行戰鬥。少數民族士兵擅長騎馬作戰，而騎馬作戰利於快速結束戰鬥；漢族士兵擅長使用弓弩，而用弓弩作戰利於穩重作戰。這是順其自然地發揮他們各自的優勢，並不是奇正的分別。我在前面曾經論述少數民族士兵和漢族士兵一定要變換旗號和服裝，那纔是正奇互相變化的方法。騎馬作戰也有正兵，使用弓弩作戰也有奇兵，哪裏會有一成不變的道理呢！」太宗說：「你再詳細地說明一下這種方法。」

李靖說：「先擺出一種假象迷惑敵人，使敵人服從我們的安排，就是這種方法。」

原文 太宗曰：「朕悟之矣！《孫子》曰：『形兵之極，至於無形。』又曰：『因形而措勝於衆，衆不能知。』其此之謂乎？」

靖再拜曰：「深乎！陛下聖慮，已思過半矣。」

譯文 太宗說：「我明白了！《孫子兵法》說：『用兵時故意表現出假象的最高境界，是再也看不出任何痕跡。』又說：『因爲故意表現出假象而戰勝了敵人，當勝利擺在衆人面前時，衆人卻看不出其中的奧妙。』說的就是這種情況吧？」

李靖拜了兩拜，說：「兵法中的道理是多麼深奧啊！陛下天賦聖明，對此早已領悟過半了。」

原文 太宗曰：「近契丹、奚皆內屬，置松漠、饒樂二都督，統於安北都護。朕用薛萬徹，如何？」

靖曰：「萬徹不如阿史那社爾及執失思力、契苾何力，此

皆蕃臣之知兵者也。因嘗與之言松漠、饒樂山川道路，蕃情逆順，遠至於西域部落十數種，歷歷可信。臣教之以陳法，無不點頭服義。望陛下任之勿疑。若萬徹，則勇而無謀，難以獨任。」

太宗笑曰：「蕃人皆爲卿役使！古人云：以蠻夷攻蠻夷，中國之勢也。卿得之矣。」

譯文 太宗說：「近來契丹和奚都歸降了，朝廷設置了松漠和饒樂這兩個都督府，統屬安北都護府管轄，我任用薛萬徹擔任都護，怎麼樣？」

李靖回答：「薛萬徹不如阿史那社爾及執失思力、契苾何力，這幾個人都是蕃臣中懂得用兵作戰的人。我曾經同他們談論過松漠、饒樂地區的山川道路，當地少數民族的人心向背，甚至遠在西域的數十個部落的各種情況，他們都能說得一清二楚，令人信服。我傳授他們陣法，他們都點頭佩服。所以我希望陛下能放心地任用他們。而薛萬徹這個人有勇無謀，難以獨當重任。」

太宗笑著說：「少數民族的將領都能爲你所用啊！古人說：利用蠻夷制服蠻夷，這是中原統治邊塞的必然趨勢。你已經懂得這個道理了。」

卷中

原文 太宗曰：「朕觀諸兵書，無出孫武；孫武十三篇，無出《虛實》。夫用兵，識虛實之勢，則無不勝焉。今諸將中，但能言背實擊虛，及其臨敵，則鮮識虛實者，蓋不能致人，而反爲敵所致故也。如何？卿悉爲諸將言其要。」

靖曰：「先教之以奇正相變之術，然後語之以虛實之形可也。諸將多不知以奇爲正，以正爲奇，且安識虛是實，實是虛哉？」

譯文　太宗說：「我看過的全部兵書中，沒有能超過孫武的兵書的；孫武的兵書十三篇中，沒有超過《虛實篇》的。用兵作戰，要是可以掌握雙方的虛實情況，就不可能不打勝仗。如今的各位將領中，都會說避實擊虛，等到眞正面對敵人的時候，卻很少有能辨別虛實情況的了，大概就是他們不能調動敵人，卻反而被敵人所調動的原因吧。爲什麼會這樣呢？請你爲各位將領仔細講講辨別虛實的要領。」

李靖說：「首先是要教給他們奇正相互變化的方法，然後再讓他們知道如何識別虛實的種種情形，這樣就容易理解了。各位將領大多不知道奇兵變成正兵，正兵變成奇兵的道理，那麼如何能辨別敵方的虛是實、實是虛呢？」

原文　太宗曰：「『策之而知得失之計，作之而知動靜之理，形之而知死生之地，角之而知有餘不足之處。』此則奇正在我，虛實在敵歟？」

靖曰：「奇正者，所以致敵之虛實也。敵實，則我必以正；敵虛，則我必爲奇。苟將不知奇正，則雖知敵虛實，安能致之哉？臣奉詔，但教諸將以奇正，然後虛實自知焉。」

譯文　太宗說：「『經過籌劃而瞭解敵人的優劣得失，通過觸動而分析敵人的活動規律，通過佯動示形來探得敵人的生死之處，通過較量可以探查敵人的虛實強弱。』這是否就是說奇正變化在我們這邊，而虛實則在敵人那邊？」

李靖回答說：「所謂的變化奇正，是爲了要探察敵人的虛實。敵人確實兵力強大，那麼我一定利用正兵去對抗；實際敵人兵力虛弱，那麼我必定用奇兵去對抗。假如將領不知道奇正的變化，那麼就算知道敵人的虛實，又如何能調動敵人剋敵制勝呢？我按照您的旨意，祇是教會將領們怎樣運用奇正，然後他們自然就會知道如何辨別虛實了。」

原文

太宗曰：「以奇為正者，敵意其奇，則吾正擊之；以正為奇者，敵意其正，則吾奇擊之。使敵勢常虛，我勢常實。當以此法授諸將，使易曉爾。」

靖曰：「千章萬句，不出乎『致人而不致於人』而已。臣當以此教諸將。」

譯文

太宗說：「將奇兵當成正兵，敵方預計到我們利用奇兵，那麼我們用正兵進攻他；將正兵當作奇兵，敵方猜測我們利用正兵，那麼我們用奇兵進攻他。讓敵方長時間處於虛弱的狀態，而我們則一直處於堅實的狀態。應該將這個方法教給各位將領，讓他們更加容易地懂得這個道理。」

李靖說：「兵法千言萬語，都不超出『調動敵人而不讓自己被敵人調動』罷了。我將遵照這個原則教育各位將領。」

原文

太宗曰：「朕置瑤池都督，以隸安西都護。蕃漢之兵，

計伏周瑜

《三國演義》中周瑜提出讓諸葛亮在十日之內趕製十萬支箭的要求，諸葛亮說衹用三天。他藉助淩晨江面大霧虛擬進攻，用草船向曹操借箭。曹操不辨虛實，不敢出戰，衹能射箭防禦，結果諸葛亮的計謀順利完成。自古兵家重虛實，貴先知，諸葛亮深得其理，故能成竹在胸。

太宗言：朕今置瑤池都督，以隸屬安西都護。蕃漢之兵，將何如處置？瑤池、安西，皆地名也。貞觀十四年，滅高昌，以其地為西州，置安西都護府。

如何處置？」

靖曰：「天之生人，本無蕃漢之別。然地遠荒漠，必以射獵而生，由此常習戰鬥。若我恩信撫之，衣食周之，則皆漢人矣。陛下置此都護，臣請收漢戍卒，處之內地，減省糧饋，兵家所謂治力之法也。但擇漢吏有熟蕃情者，散守堡障，此足以經久。或遇有警，則漢卒出焉。」

譯文 太宗說：「我設置的瑤池都督，隸屬於安西都護府。那裏的少數民族和漢族的士兵，應該如何安置呢？」

李靖回答說：「上天讓人類生存，原本是不存在少數民族和漢族的差別的。但是少數民族居住地位於邊遠的荒漠地區，一定是以狩獵為生，因此經常練習格鬥。要是我們利用恩德信義來安撫他們，在衣食方面周濟他們，那麼他們就會成為漢人。陛下您設置安西都護府，我建議將那裏的漢軍戍卒撤回來，

安置在內地設防，這樣可以減少糧草支出，也就是兵家所說的通曉軍隊戰鬥力的方法。祇是選擇那些熟悉少數民族地區情況的漢人官吏，分散著守衛邊防要塞，這就足以長久無禍患了。要是一旦有緊急情況發生，那麼漢軍就出動作戰。」

原文 太宗曰：「《孫子》所言治力何如？」

靖曰：「『以近待遠，以佚待勞，以飽待飢』，此略言其概爾。善用兵者，推此三義而有六焉：『以誘待來，以靜待躁，以重待輕，以嚴待懈，以治待亂，以守待攻。』反是，則力有弗逮。非治力之術，安能臨兵哉？」

譯文 太宗說：「《孫子兵法》所講述的治力是怎麼樣的呢？」

李靖回答說：「『憑藉自己的軍隊靠近戰場來應對長途跋涉而來的敵人，依靠自己軍隊的安逸從容來應對奔走疲勞的敵人，依憑自己軍隊的糧草充足

來應對糧草匱乏的敵人。』這不過是簡略地說出了概況。善於用兵的人，依據這三條可以推出六條來：『依靠誘詐將敵人引入包圍，依靠冷靜應對敵人的急躁，依靠持重應對敵人的妄動，依靠嚴整應對敵人的鬆懈，依靠軍陣整齊應對敵人的軍陣混亂，依靠防守應對敵人的進攻。』反之，就無法等到最佳時機，戰鬥力難以維持。要是不懂得治力的方法，如何能指揮軍隊作戰呢？」

原文　太宗曰：「今人習《孫子》者，但誦空文，鮮克推廣其義。治力之法，宜遍告諸將。」

譯文　太宗說：「現在的人學習《孫子兵法》，祇知道背誦那些文字，很少有能將其中蘊含的深意引申推廣的。治力的方法，應該全都告訴各位將領。」

原文　太宗曰：「舊將老卒，凋零殆盡，諸軍新置，不經陳敵，今教以何道爲要？」

靖曰：「臣常教士，分爲三等：必先結伍法，伍法既成，授之軍校，此一等也；軍校之法，以一爲十，以十爲百，此一等也；授之裨將，裨將乃總諸校之隊，聚爲陳圖，此一等也。大將軍察此三等之教，於是大閱，稽考制度，分別奇正，誓衆行罰。陛下臨高觀之，無施不可。」

譯文　太宗問：「經歷過戰爭的老將舊卒，如今寥寥無幾了，現在的軍隊都是最近新組建起來的，沒有經過和敵人對戰，如今應該教給他們什麼纔是最重要的呢？」

李靖回答說：「我過去訓練士兵的時候，將他們分成三個階段：首先是一定要五個人編爲一伍，伍法編好之後，再交給軍校，這是一個階段；軍校的訓練方式是，將一伍當作十伍，將十伍當成百伍，這是一個階段；之後再將

他們交給副將，將他們集合起來按陣法圖排列，這是一個階段。大將軍看到以上三個階段的訓練結束後，於是進行大閱兵，考核各項訓練的執行程度；區分奇兵與正兵，進行誓師，嚴明刑賞。陛下居高而觀看，沒有什麼是不能推行的。」

原文

太宗曰：「伍法有數家，孰者爲要？」

靖曰：「臣案《春秋左氏傳》云：先偏後伍；又《司馬法》曰：五人爲伍；《尉繚子》有束伍令；漢制有尺籍伍符。後世符籍，以紙爲之，於是失其制矣。臣酌其法，自五人而變爲二十五人，自二十五人而變爲七十五人，此則步卒七十二人，甲士三人之制也。捨車用騎，則二十五人當八馬，此則五兵五當之制也。是則諸家兵法，唯伍法爲要。小列之五人，大列之二十五人，參列之七十五人。又五參其數，得三百七十五人。三百人爲正，六十人爲奇。此則百五十人分爲二正，而三十人分爲二奇，蓋左右等也。穰苴所謂五人爲伍，十伍爲隊，至今因之，此其要也。」

譯文

太宗問：「古代對伍法的訓練有好幾種，哪家更爲重要呢？」

李靖回答說：「據我所知，《春秋左氏傳》上說：戰車在前步兵在後；《司馬法》上說：五個人爲一伍；《尉繚子》中有約束隊伍的政令；漢朝的制度是有書寫戰績的尺籍和各伍彼此作保的伍符。後世的軍中符籍，都是用紙製成的，因此失去了原本的制度。我斟酌考慮這些說法之後，將五人一組變爲二十五人一組，從二十五人一組變爲七十五人一組，這樣的話就是七十二個步兵，三個甲兵的編制。當放棄戰車採用騎兵的時候，那麼就是二十五個步兵相當於八個騎兵的戰鬥力，這就是五種兵持有五種兵器的制度。因此各家的兵法中，都以伍法最爲重要。最小的編組是五個人，最大的編組是二十五

個人，三個大列是七十五個人。五個三大列是三百七十五人。除去十五個軍官，三百個士兵爲正兵，六十個士兵爲奇兵。然後三百人中每隊一百五十人一組分爲兩組正兵，六十個人中每三十個爲一組分爲兩組奇兵，這樣左右就相等了。穰苴所說的五個人爲一伍，十伍爲一隊的規則，延續至今仍在使用，這就是伍法的大概情況。」

【原文】**太宗曰：「朕與李勣論兵，多同卿說，但勣不究出處爾。卿所製六花陳法，出何術乎？」**

靖曰：「臣所本諸葛亮八陳法也。大陳包小陳，大營包小營，隅落鈎連，曲折相對。古制如此，臣爲圖因之。故外畫之方，內環之圓，是成六花，俗所號爾。」

【譯文】太宗問：「我和李勣談論兵法，他說的大多和你說的類似，但是李勣不去探究兵法的出處。你所創制的六花陣法，依據的是什麼？」

李靖回答說：「我所依據的是諸葛亮的八陣法。大的陣包含小的陣，大的營包含小的營，每個角落彼此相連，曲折彼此對應。古代的陣法本就是這樣的，我就是依據它來描繪陣圖的。因此圖的外圈是方的，而裏面是圓的，總體形狀成六瓣花的形狀，所以俗稱六花陣。」

【原文】**太宗曰：「內圓外方，何謂也？」**

靖曰：「方生於正，圓生於奇。方所以矩其步，圓所以綴其旋。是以步數定於地，行綴應乎天。步定綴齊，則變化不亂。八陳爲六，武侯之舊法焉。」

【譯文】太宗問：「裏面圓外面方，這是因爲什麼呢？」

李靖回答說：「外方是正兵，內圓是奇兵。方是用來測量戰場的距離和範圍，圓是連結各點確定路綫。所以，確定戰場的範圍要依據大地，確定路綫是要與天相對應。步數確定連結整齊，那麼變化就不會混亂。從八陣演變成

爲六陣，是依照諸葛亮的舊法。」

原文 太宗曰：「畫方以見步，點圓以見兵，步教足法，兵教手法，手足便利，思過半乎？」

靖曰：「吳起云：『絕而不離，卻而不散。』此步法也。教士猶佈棋於盤，若無畫路，棋安用之？孫武曰：『地生度，度生量，量生數，數生稱，稱生勝。勝兵若以鎰稱銖，敗兵若以銖稱鎰。』皆起於度量方圓也。」

譯文 太宗說：「外面畫方形就能看到士兵們的步法，裏面畫圓形就可以看到武器的運用，步法要提高加強對足法的訓練，武器的運用要多練習手上的功夫，手腳的運用都達到隨心所欲的狀態的時候，掌握的古代佈陣之術就算是超過一半了吧？」

李靖回答說：「吳起說過：『雖然軍隊陷入絕境之中但陣勢依舊保持原

樣，雖然軍隊在撤退但隊列沒有散開。』這就是步法。教育士兵就像在棋盤之上下棋一樣，要是沒有事先將棋路繪制好的話，那麼如何放置棋子呢？孫武說：『依據地勢作出判斷，依據判斷測算容量，依據容量算出戰鬥中的人數，依據戰鬥中的人數權衡利弊，依照權衡出的利弊取得勝利。勝利的一方就像用鎰稱銖，失敗的一方就如同用銖稱鎰。』這全都是根植於對方圓的正確判斷啊。」

原文 太宗曰：「深乎，孫武之言！不度地之遠近，形之廣狹，則何以制其節乎？」

靖曰：「庸將罕能知其節者也。『善戰者，其勢險，其節短。勢如彍弩，節如發機。』臣修其術：凡立隊，相去各十步，駐隊去前隊二十步，每隔一隊立一戰隊。前進以五十步爲節。角一聲，諸隊皆散立，不過十步之內。至第四角聲，籠槍跪坐。

於是鼓之，三呼三擊，三十步至五十步以制敵之變。馬軍從背出，亦五十步臨時節止。前正後奇，觀敵如何。再鼓之，則前奇後正，復邀敵來，伺隙搗虛。此六花大率皆然也。」

譯文

太宗說：「真是深刻啊，孫武的話！沒有測量距離的遠與近，地勢的寬廣與狹長，那麼如何控制軍隊行動的節奏呢？」

李靖回答說：「平庸的將領很少能知道軍隊行動的節奏。『善於作戰的人，所面臨的形勢越緊張，他所掌握的節奏越短促。其態勢如同拉滿的弓一般，節奏就像觸發的弩機一樣。』我研究這種戰術：但凡列隊，彼此相距十步距離，駐軍與前隊相距二十步，每隔一個隊伍就設立一個戰隊。前進的時候以五十步為一節。第一次號角響起，各個隊伍立刻分散開來，彼此相距不過十步。等到第四次號角響起的時候，各隊都保持跪坐高舉武器的姿勢。於是擂響戰鼓，三次高呼三次襲擊，在三十步到五十步之間掌控敵人的變化。騎兵從後面出擊，也是在五十步的距離停下來。先用正兵後用奇兵，觀察敵軍怎樣應對。再擂響戰鼓，先用奇兵後用正兵，再次引誘敵人出擊，趁機攻打敵人虛弱之處。六花陣也就大致這樣了。」

原文

太宗曰：「《曹公新書》云：『作陳對敵，必先立表，引兵就表而陳。一部受敵，餘部不進救者斬。』此何術乎？」

靖曰：「臨敵立表，非也，此但教戰時法爾。古人善用兵者，教正不教奇，驅衆若驅群羊，與之進，與之退，不知所之也。曹公驕而好勝，當時諸將奉《新書》者，莫敢攻其短。且臨敵立表，無乃晚乎？臣竊觀陛下所制《破陳樂舞》，前出四表，後綴八幡，左右折旋，趨步金鼓，各有其節，此即八陳圖四頭八尾之制也。人間但見樂舞之盛，豈有知軍容如斯焉！」

譯文

太宗問：「《曹公新書》說：『列陣對敵，一定要先做好標識，引

導士兵按照標幟列陣。其中一部分受到敵人攻擊，其他的部分沒有前去營救的話就要斬首。』這是什麼戰術呢？」

李靖回答說：「迎戰敵人設立標幟，並不是正確的，這不過是教導訓練士兵時的辦法而已。古時候善於用兵的人，教導訓練正兵的方法而不是奇兵的方法，驅使廣大的士兵如同驅趕羊群，讓他們前進他們就前進，讓他們後退他們就後退，他們並不知道爲什麼要這麼做。曹公驕傲自大且爭強好勝，當時各位將領尊奉《新書》的人，沒有人敢指出其中的不足之處。況且等到敵人到來了再設立標幟，豈不是太晚了嗎？我私下裏觀察您所創制的《破陣樂舞》，在前面出示四面標識，在後面跟著八幅布幡，舞蹈之人向左向右往覆折返，伴隨著金鼓的聲音或跑或行，都有自己的節奏，這就是八陣圖四頭八尾的制度啊。普通人衹是欣賞到了樂舞的盛大，哪裏知道軍隊的陣容也是這樣呢！」

原文 太宗曰：「昔漢高帝定天下，歌云：『安得猛士兮守四方。』蓋兵法可以意授，不可以語傳。朕爲《破陳樂舞》，唯卿已曉其表矣，後世其知我不苟作也。」

譯文 太宗說：「過去漢高帝平定天下，高聲吟唱：『怎麼纔能得到爲我鎮守四方的勇士。』所以兵法是可以神領神會，沒有辦法用語言講述的。我創制《破陣樂舞》，衹有你已經知道了它所蘊涵的深意，後世的人或許可以知道我不是隨隨便便創制這樂舞的。」

原文 太宗曰：「方色五旗爲正乎？旙麾折衝爲奇乎？分合爲變，其隊數曷爲得宜？」

靖曰：「臣參用古法：凡三隊合，則旗相倚而不交；五隊合，則兩旗交；十隊合，則五旗交。吹角，開五交之旗，則一復散而爲十；開二交之旗，則一復散而爲五；開相倚不交之

旗，則一復散而爲三。兵散則以合爲奇，合則以散爲奇。三令五申，三散三合，然復歸於正，四頭八尾，乃可教焉。此隊法所宜也。」

太宗稱善。

譯文 太宗問：「依照東西南北中五個方位使用青白赤黑黃五色旗幟是正兵嗎？使用指揮作戰的旗幟來指揮軍隊是奇兵嗎？軍陣的分散聚攏變化，隊數是多少爲合適呢？」

李靖回答說：「我參照古代的辦法：衹要是三隊聚攏的，那麼旗幟彼此倚靠但不交叉；五隊聚攏的，那麼兩面旗幟相交；十隊聚攏的，那麼五面旗幟相交。吹響號角，五面相交的旗幟分開，然後一隊分散爲十隊；兩面相交的旗幟散開，那麼一隊分散成五隊；彼此倚靠但是沒有相交的旗幟分開，那麼一隊分散爲三隊。士兵分散開那麼就以合爲奇兵，士兵聚攏那麼就以散爲奇

吳加亮佈四門五方旗

旗是軍隊榮譽、勇敢和統一指揮的象徵。中國從原始社會後期起即以旗幟作爲聚集族人的標幟。傳說黃帝練兵擺陣法，設五旗五麾。圖中描述的是《水滸傳》中吳加亮佈四門五方旗陣，指點軍兵進發的情景。

兵。三令五申之後，三次分散三次聚攏，重新歸於正兵，四頭八尾的陣法操練就可以進行了。這就是訓練陣法最恰當的方式。」

太宗對此稱讚不已。

原文

太宗曰：「曹公有戰騎、陷騎、遊騎，今馬軍何等比乎？」

靖曰：「臣案《新書》云：『戰騎居前，陷騎居中，遊騎居後。』如此則是各立名號，分爲三類爾。大抵騎隊八馬，當車徒二十四人；二十四騎，當車徒七十二人。此古制也。車徒常教以正，騎隊常教以奇。據曹公，前後及中分爲三覆，不言兩廂，舉一端言也。後人不曉三覆之義，則戰騎必前於陷騎、遊騎，如何使用？臣熟用此法，回軍轉陳，則遊騎當前，戰騎當後，陷騎臨變而分，皆曹公之術也。」

太宗笑曰：「多少人爲曹公所惑！」

譯文

太宗問：「曹操的騎兵有戰騎、陷騎、遊騎三類，如今我們的騎兵是如何和它類比的呢？」

李靖回答說：「我參考《曹公新書》上的說法：『戰騎在前面，陷騎在中間，遊騎在後面。』也是因此而各自擁有不同的名號，分成三類。大致的情況是騎兵的八騎，相當於跟隨兵車的步兵二十四人；二十四個騎兵，相當於跟隨兵車的步兵七十二人。這是以前的制度。至於車兵和步兵常常是教給他們正兵的方法，而騎兵常常教給他們奇兵的方法。根據曹操所言，前後和中間分爲三隊伏兵，沒有安排兩側的人馬，這不過就是一種戰術。後來的人不懂得三隊伏兵的意義，把戰騎安排在陷騎、遊騎之前，那麼怎麼使用呢？我擅長用這樣的陣法，在回軍轉陣的時候，讓遊騎在前面，戰騎在後面，陷騎隨形勢而變動分散，這些都是曹操的戰術。」

太宗笑著說：「有多少人被曹操的說法弄得暈頭轉向！」

原文

太宗曰：「車、步、騎三者一法也，其用在人乎？」

靖曰：「臣案春秋魚麗陳，先偏後伍，此則車步無騎，謂之左右拒，言拒禦而已，非取出奇勝也。晉荀吳伐狄，捨車爲行，此則騎多爲便，唯務奇勝，非拒禦而已。臣均其術：凡一馬當三人，車步稱之，混爲一法，用之在人。敵安知吾車果何出，騎果何來，徒果何從哉？或潛九地，或動九天，其知如神，唯陛下有焉，臣何足以知之？」

譯文

太宗問：「車兵、步兵、騎兵三者運用同樣的方法，那麼使用的效果取決於人吧？」

李靖回答說：「我根據春秋時期的魚麗陣，將戰車安置在前面步兵安置在後面，那麼就衹有車兵步兵而沒有騎兵，稱之爲左右方陣，說的就是抵禦的陣形，沒有採用出奇制勝的方式。晉國荀吳征討敵人的時候，放棄車兵改爲步行，這就意味著騎兵越多越便利，衹是追求出奇制勝，並不是僅僅爲了抵禦。我將這些戰術綜合分析：一個騎兵可以代替三個步兵，戰車和步兵隨之相配，混爲同一陣法，由統領的將士調動。敵人怎麼知道我們的戰車在什麼時候什麼地方加入戰鬥呢，騎兵在什麼時候什麼地方加入戰鬥呢，步兵又是以什麼樣的形式協同作戰呢？可能深入到地下最深的地方，可能上昇到天空最高的位置，這樣如同神一般的用兵智慧，衹有陛下您纔擁有，我哪裏能夠知道呢？」

原文

太宗曰：「太公書云：地方六百步，或六十步，表十二辰。其術如何？」

靖曰：「畫地方一千二百步，開方之形也。每部占地二十步之方，橫以五步立一人，縱以四步立一人，凡二千五百人。

十二辰次，即子玄枵、丑星紀、寅析木、卯大火、辰壽星、巳鶉尾、午鶉火、未鶉首、申實沈、酉大梁、戌降婁、亥陬訾是也。

分五方，空地四處，所謂陳間容陳者也。武王伐紂，虎賁各掌三千人，每陳六千人，共三萬之衆。此太公畫地之法也。」

譯文 太宗說：「太公兵書上說：方陣邊長六百步，或者六十步，依照十二地支做標記。這個方法是怎麼樣的呢？」

李靖回答說：「設置陣基共一千二百步，是每邊三百步的方形。每一小部分佔地二十步的方形，橫向五步的距離站一個人，縱向四步的距離站一個人，一共二千五百人。分爲東西南北中五個方向，空地位於四個方向，就是所說的大陣的空隙中蘊含著小陣。武王伐紂的時候，虎賁各統領三千士兵，每陣有六千名士兵，一共三萬人之多。這就是太公的畫陣之術。」

原文 太宗曰：「卿六花陣畫地幾何？」

靖曰：「大閱，地方千二百步者，其義六陳，各占地四百步，分爲東西兩廂，空地一千二百步，爲教戰之所。臣常教士三萬，每陳五千人，以其一爲營法，五爲方、圓、曲、直、鋭之形。每陳五變，凡二十五變而止。」

譯文 太宗問：「你的六花陣畫地多少呢？」

李靖回答說：「大檢閱的時候，畫地一千二百步，其中包含六陣，每個佔地四百步，分爲東西兩側，空地爲一千二百步，是教導訓練的場所。我曾經教導訓練士兵三萬人，每個陣有五千人，用其中的一個隊伍操練安營的陣法，其他五個隊伍操練方、圓、曲、直、鋭的不同陣法。每個陣形變化五次，一共變換二十五次後停止。」

原文 太宗曰：「五行陳如何？」

靖曰：「本因五方色立此名。方、圓、曲、直、鋭，實因地形使然。凡軍不素習此五者，安可以臨敵乎？兵，詭道也。故強名五行焉，文之以術數相生相剋之義。其實兵形象水，因地

制流，此其旨也。」

譯文 太宗問：「五行陣怎麼樣？」

李靖回答說：「本來是依據五方顏色不同來設立的。方、圓、曲、直、銳，實際都依照地形而變動。要是軍隊不熟悉操練這五種陣形，那麼又如何應對敵人呢？用兵作戰，本就是詭詐之道。所以特意把五陣命名爲五行，用五行相生相剋的術數之說爲其解釋。其實軍隊的陣勢就像流水一樣，因地勢而流動，這纔是它的主旨。」

原文 太宗曰：「李勣言牝牡、方圓伏兵法，古有是否？」

靖曰：「牝牡之法，出於俗傳，其實陰陽二義而已。臣按范蠡云：『後則用陰，先則用陽。盡敵陽節，盈吾陰節而奪之。』此兵家陰陽之妙也。范蠡又云：『設右爲牝，益左爲牡，早晏以順天道。』此則左右早晏，臨時不同，在乎奇正之變者也。

左右者，人之陰陽；早晏者，天之陰陽；奇正者，天人相變之陰陽。若執而不變，則陰陽俱廢。如何？守牝牡之形而已。故形之者，以奇示敵，非吾正也；勝之者，以正擊敵，非吾奇也。此謂奇正相變。兵伏者，不止山谷草木伏藏，所以爲伏也，其正如山，其奇如雷，敵雖對面，莫測吾奇正所在。至此，夫何形之有焉？」

譯文 太宗問：「李勣說雌雄、方圓之中蘊含著兵法，古時候就有這樣的說法嗎？」

李靖回答說：「雌雄之法，是民間的說法，其實際是陰陽二義罷了。我按照范蠡所說的：『後發制人要收斂氣勢，先發制人要勇往直前。完全壓倒敵人的氣勢，增強自己的氣勢消滅敵人。』這就是兵家運用陰陽變化的妙處。范蠡又說：『牝陣佈置在右邊，進一步將牡陣安排在左邊，行動的早晚要順應

天道。』也就是佈陣的左右早晚，遇到情況就發生改變，改變的依據在於奇正的變換。左右，就是人的陰陽；早晚，就是天的陰陽；奇正，就是天人交互的陰陽。要是一成不變，那麼陰陽也就失去了作用。怎麼樣呢？不過是堅守陰陽的形式罷了。所以展現給敵人的形勢是，用奇兵當作去迷惑敵人，但是並不是我們的正兵；能打敗敵人的方法是，把正兵當作奇兵襲擊敵人，但不是我們的奇兵。這就是奇兵正兵的相互變化。至於伏兵，不僅僅是在山谷草木之中埋伏，真正的伏兵，運用正兵時如高山般巍峨，運用奇兵時像雷聲般迅猛，敵人雖然就在對面，但是無法探測我們的奇兵正兵在哪裏。這樣，哪裏還能找到奇兵正兵的痕跡呢？」

原文 太宗曰：「四獸之陳，又以商、羽、徵、角象之，何道也？」

靖曰：「詭道也。」

譯文 太宗問：「龍、虎、鳥、蛇的陣勢，加之以商、羽、徵、角四音表示，是什麼道理呢？」

李靖回答說：「詭詐之道。」

原文 太宗曰：「可廢乎？」

靖曰：「存之，所以能廢之也。若廢而不用，詭愈甚焉。」

譯文 太宗問：「可以廢除嗎？」

李靖回答說：「讓它繼續存在下去，這樣纔能徹底廢除它。要是現在廢棄不用的話，會發展得越發詭詐。」

原文 太宗曰：「何謂也？」

靖曰：「假之以四獸之陳，及天、地、風、雲之號，又加商金、羽水、徵火、角木之配，此皆兵家自古詭道。存之，則餘詭不復增矣；廢之，則使貪使愚之術從何而施哉？」

太宗良久曰：「卿宜秘之，無泄於外。」

譯文

太宗說：「這是怎麼說？」

李靖回答說：「假藉龍、虎、鳥、蛇四獸的陣法，以及天、地、風、雲四種旗幟的名號，再加上商金、羽水、徵火、角木相匹配，這些都是兵家自古以來的詭詐之道。保存它，那麼其他的詭詐之道不會再增加；廢除它，那麼驅使貪婪愚笨之人的方法又從哪裏實施呢？」

太宗沈默了很久，說：「你應該保密，不要泄密給其他人。」

原文

太宗曰：「嚴刑峻法，使衆畏我而不畏敵，朕甚惑之。昔光武以孤軍當王莽百萬之衆，非有刑法臨之，此何由乎？」

靖曰：「兵家勝敗，情狀萬殊，不可以一事推也。如陳勝、吳廣敗秦師，豈勝、廣刑法能加於秦乎？光武之起，蓋順人心之怨莽也，況又王尋、王邑不曉兵法，徒誇兵衆，所以自敗。

臣案《孫子》曰：『卒未親附而罰之，則不服；已親附而罰不行，則不可用。』此言凡將先有愛結於士，然後可以嚴刑也。若愛未加而獨用峻法，鮮克濟焉。」

譯文

太宗問：「通過嚴酷的刑罰嚴厲的法規，讓大家敬畏我而不懼怕敵人，我實在是覺得疑惑。當年漢光武帝憑藉孤立無援的軍隊抵擋住了王莽的百萬大軍，並沒有依靠刑罰法規來管理，這又是什麼原因呢？」

李靖回答說：「兵家的勝敗，本就有千百種差異，不可以用一個例子去推及全部。比如陳勝、吳廣戰勝秦軍，難道是陳勝、吳廣的刑罰法規能超過秦國嗎？漢光武帝的興兵，是因爲他順應了百姓怨恨王莽的心意，而且王尋、王邑又不懂得兵法，衹是誇誇其談士兵衆多，所以自己就敗了下來。我按照《孫子》上說的：『兵卒還沒有親近依賴就加以懲罰，那麼兵卒不會服氣；兵卒們已經親近依賴而無法施展刑罰獎賞，那麼兵卒們也不能自己所用。』這話的

銑，梁之後，為羅川令。隋恭帝義寧元年起兵巴陵，自稱梁王，唐武德四年討平之。

意思是將領先要與兵卒們建立親密的關係，然後就可以施加嚴厲的刑罰。要是沒有建立親密的關係而衹是一味地採用嚴厲的刑罰，很少有取得勝利的。」

原文

太宗曰：「《尚書》言：『威克厥愛，允濟；愛克厥威，允罔功。』何謂也？」

靖曰：「愛設於先，威設於後，不可反是也。若威加於前，愛救於後，無益於事矣。《尚書》所以慎戒其終，非所以作謀於始也。故《孫子》之法，萬代不刊。」

譯文

太宗問：「《尚書》上說：『威嚴超過了愛護，就可以獲得成功；愛護超過了威嚴，就不會取得成功。』這又是什麼意思？」

李靖回答說：「愛護要先施行，威嚴要後施行，這個順序不能顛倒。要是先施行了威嚴，再用愛護補救，是對事情沒有任何好處的。《尚書》的意思是一直謹慎地戒備，並不是要將威嚴用於最初的時候。所以《孫子》的原則，千

萬代也不可改變。」

原文

太宗曰：「卿平蕭銑，諸將皆欲籍僞臣家以賞士卒，獨卿不從，以謂蒯通不戮於漢，既而江漢歸順。朕由是思古人有言曰：『文能附衆，武能威敵。』其卿之謂乎？」

靖曰：「漢光武平赤眉，入賊營中案行。賊曰：『蕭王推赤心於人腹中。』此蓋先料人情本非爲惡，豈不豫慮哉？臣頃討突厥，總蕃漢之衆，出塞千里，未嘗戮一揚幹，斬一莊賈，亦推赤誠、存至公而已矣。陛下過聽，擢臣以不次之位，若於文武則何敢當？」

譯文

太宗問：「當時你平定蕭銑的時候，各位將領都打算將蕭銑以及其部下的財產沒收來獎賞士兵們，衹有你不同意，引用蒯通沒有被劉邦殺死的事例說服大家，這樣纔使得江漢一帶的百姓歸順我朝。我因此想到古人曾

說：『非軍事的行爲可以讓百姓依附，軍事行爲可以威懾敵人。』說的不就是你嗎？」

李靖回答說：「漢光武帝平定赤眉軍之後，進入到赤眉軍的陣營中巡察。赤眉軍議論紛紛：『蕭王對人推心置腹。』這衹是光武帝早就預料到人的本性並不是惡的，哪裏是他沒有事先考慮呢？我在不久之前征討突厥，統領蕃漢官兵，出塞千里之外，沒有殺死一個像揚幹那樣的人，沒有處死一個像莊賈那樣的人，也是推行赤誠之心，秉公做事罷了。陛下您所聽言過其實，沒有依照順序而是破格提拔我，要是說我文武兼備我哪裏敢當呢？」

原文

太宗曰：「昔唐儉使突厥，卿因擊而敗之。人言卿以儉爲死間，朕至今疑焉。如何？」

靖再拜曰：「臣與儉比肩事主，料儉說必不能柔服，故臣因縱兵擊之，所以去大惡不顧小義也。人謂以儉爲死間，非臣之

唐儉

唐儉，字茂約，並州晉陽（今山西太原）人。淩煙閣二十四功臣之一。一生忠於唐室，常有奇謀。

心。案《孫子》：用間最爲下策。臣嘗著論其末云：水能載舟，亦能覆舟。或用間以成功，或憑間以傾敗。若束發事君，當朝正色，忠以盡節，信以竭誠，雖有善間，安可用乎？唐儉小義，陛下何疑？」

譯文 太宗問：「當年我派遣唐儉出使突厥，你卻趁機將突厥擊敗。人們都說你將唐儉當成了死間，我到現在還是疑惑不解。你覺得這是怎麼樣呢？」

李靖拜了兩拜回答說：「我和唐儉一同侍奉君主，早就猜到唐儉一定不能讓突厥臣服，所以我就帶兵趁機偷襲，這就是說爲了祛除大的禍患不能顧忌小的道義。人們都說將唐儉當成死間了，但是這並非我的本意。根據《孫子》所說：利用間諜是最下等的策略。我曾經在這句話的後面寫到：水能載舟，也能覆舟。有的時候利用間諜可以取得勝利，有的時候利用間諜卻導致徹底的失敗。要是一個人從他剛成年的時候任用，這個人在朝中處事嚴肅認真，

忠心竭慮，就算是有高明的間諜，又有什麼用呢？像唐儉這件事，就是小的道義，陛下您有什麼疑惑呢？」

原文 太宗曰：「誠哉！非仁義不能使間，此豈纖人所爲乎？周公大義滅親，況一使人乎？灼無疑矣。」

譯文 太宗說：「確實如此啊！不是仁義的人就不能驅使間諜，這難道是小人的行爲嗎？周公尚且大義滅親，更何況是對一個使臣呢？現在已經清楚無疑了。」

原文 太宗曰：「兵貴爲主，不貴爲客；貴速，不貴久。何也？」

靖曰：「兵，不得已而用之，安在爲客且久哉？《孫子》曰：『遠輸則百姓貧。』此爲客之弊也。又曰：『役不再籍，糧不三載。』此不可久之驗也。臣校量主客之勢，則有變客爲

主，變主爲客之術。」

譯文 太宗問：「戰鬥中以可以防守爲貴，以能進攻爲不貴；作戰貴在速決，不貴在持久。這是爲什麼呢？」

李靖回答說：「戰爭，是沒有其他的辦法纔採取的，如何能被動的進攻且長時間不能結束呢？《孫子》說：『路途遥遠那麼百姓就貧困。』這就是一味進攻的弊端。又說：『不能多次地徵集士兵，不能多次的運送糧食。』這也是對不能讓戰爭長時間持續的驗證。我比較估計了防守的一方和進攻的一方之間的形勢，就可以將進攻的形式變爲防守的形勢，將防守的形式變爲進攻的形勢。」

原文 太宗曰：「何謂也？」

靖曰：「『因糧於敵』，是變客爲主也；『飽能飢之，佚能勞之』，是變主爲客也。故兵不拘主客遲速，唯發必中節，所以爲宜。」

譯文 太宗問：「這話怎麼說呢？」

李靖回答說：「『依靠敵方就地補充糧食』，就是變被動的進攻爲主動的防守；『敵方糧草充足讓他飢餓，敵人休整安逸讓他疲憊』，就是變主動的防守爲被動的進攻。所以作戰不拘泥於是防守還是進攻，是速戰速決還是拖延，祇要行爲符合法度，就是最爲合適的。」

原文 太宗曰：「古人有諸？」

靖曰：「昔越伐吳，以左右二軍鳴鼓而進，吳分兵禦之。越以中軍潛涉不鼓，襲敗吳師，此變客爲主之驗也。石勒與姬澹戰，澹兵遠來，勒遣孔萇爲前鋒，逆擊澹軍，孔萇退而澹來追，勒以伏兵夾擊之，澹軍大敗，此變勞爲佚之驗也。古人如此者多。」

譯文

太宗說：「古人有這樣的先例嗎？」

李靖回答說：「從前越國征伐吳國，用左右兩側的軍隊擊鼓前進，吳國將軍隊分開抵禦。越國就用中路士兵沒有擊鼓偷偷渡過，突襲吳國軍隊，這就是變被動的進攻爲主動的防守的例子。石勒與姬澹交戰，姬澹的軍隊遠道而來，石勒派遣孔萇作爲先鋒，迎頭進攻姬澹的軍隊，然後孔萇撤退，姬澹的軍隊就去追擊，石勒就用伏兵從兩側夾擊他，姬澹的軍隊敗得一塌糊塗，這就是變疲憊爲休整安逸的例子。類似這樣的例子古時候是有很多的。」

原文

太宗曰：「鐵蒺藜、行馬，太公所製，是乎？」

靖曰：「有之，然拒敵而已。兵貴致人，非欲拒之也。太公《六韜》言守禦之具爾，非攻戰所施也。」

譯文

太宗問：「鐵蒺藜、行馬都是太公創製的，是嗎？」

李靖回答說：「是這樣的，不過目的是阻止敵人前進。戰爭貴在調動敵人，而不是阻止敵人前進。太公的《六韜》說的不過是用來防守的工具罷了，並不是主動進攻的工具啊。」

卷下

原文

太宗曰：「太公云：『以步兵與車騎戰者，必依丘墓險阻。』又孫子云：『天隙之地，丘墓故城，兵不可處。』如何？」

靖曰：「用衆在乎心一，心一在乎禁祥去疑。倘主將有所疑忌，則群情搖；群情搖，則敵乘釁而至矣。安營據地，便乎人事而已。若澗、井、陷、隙之地，及如牢如羅之處，人事不便者也。故兵家引而避之，防敵乘我。丘墓故城，非絕險處，我得之爲利，豈宜反去之乎？太公所說，兵之至要也。」

【譯文】太宗說：「太公說：『用步兵和車兵騎兵作戰，一定要依靠丘陵、墓地作爲險阻。』孫子又說：『在溝谷天隙的地方，丘陵墳墓舊城的廢墟，不可以駐紮軍隊。』這又是怎麼一回事呢？」

李靖回答說：「指揮軍隊戰鬥重在上下一心，上下一心就在於禁止封建迷信的活動以消除疑惑。要是主將有所猜疑那麼廣大士兵就會動搖，廣大士兵一旦動搖那麼敵人就會趁機進攻。安營紮寨，爲的就是便於軍隊行動。比如深澗、天井、地陷、天隙之處，如同天牢天羅的地勢，安營紮寨的話不利於軍事行動，所以將領要帶領軍隊遠離那些地方，防止敵人趁機襲擊我軍。丘陵墳墓廢棄的舊城，並不是艱難險阻的地方，我們佔據的話就會利於戰鬥，何必還要遠離呢？太公所說的，正是用兵最爲關鍵和重要的啊。」

【原文】**太宗曰：「朕思凶器，無甚於兵者。行兵苟便於人事，豈以避忌爲疑？今後諸將有以陰陽拘忌，失於事宜者，卿當丁寧誡之。」**

靖再拜謝曰：「臣按《尉繚子》云：『黃帝以德守之，以刑伐之，是謂刑德，非天官日時之謂也。』然詭道可使由之，不可使知之。後世庸將泥於術數，是以多敗，不可不誡也。陛下聖訓，臣即宣告諸將。」

【譯文】太宗說：「我想天下最凶殘的事情，再沒有超過戰爭的。發動軍事行動如果利用人事，怎麼可以因爲避諱猜忌而遲疑呢？今後各位將領要是有因爲拘泥於陰陽，導致大事失敗的，你應該叮囑他引以爲戒。」

李靖拜了兩拜說道：「我依照《尉繚子》上說的：『黃帝依靠仁德守衛天下，依靠發動戰爭征討敵人，這也就是所說的刑德，而不是天官日時的說法。』但是詭詐之道可以讓別人去執行，衹是不能讓他們知道這麼做的原因。後世平庸的將領拘泥於術數之中，所以大多失敗了，不可不引以爲戒啊。陛下您

光武命吳漢討公孫述，與副將劉尚分屯，相去二十里。述來攻吳漢，劉尚出兵合擊，遂大破之。此兵分而能合之所致也。吳漢討公孫述，在建武十二年。公孫述字子陽，茂陵人，為清水長。更始元年起兵於蜀，至是吳漢討於之。

聖明的教導，我將轉告給各位將領。」

原文

太宗曰：「兵，有分有聚，各貴適宜。前代事蹟，孰爲善此者？」

靖曰：「苻堅總百萬之衆，而敗於淝水，此兵能合不能分之所致也。吳漢討公孫述，與副將劉尙分屯，相去二十里。述來攻漢，尙出合擊，大破之，此兵分而能合之所致也。太公云：『分不分，爲縻軍；聚不聚，爲孤旅。』」

太宗曰：「然。苻堅初得王猛，實知兵，遂取中原；及猛卒，堅果敗。此縻軍之謂乎？吳漢爲光武所任，兵不遙制，故漢果平蜀。此不陷孤旅之謂乎？得失事蹟，足爲萬代鑒。」

譯文

太宗問：「作戰的時候，有時要把軍隊分散開，有時要把軍隊聚集起來，貴在符合當時的情況。前代的歷史中，誰將這樣的事情做得最好呢？」

下棋

打仗就像下棋，雙方勢均力敵，若有一着下錯了，就沒辦法挽回全盤。

李靖回答說：「苻堅統領百萬大兵，但是卻在淝水邊上失敗了，這就是軍隊可以聚攏但不可分散導致的。吳漢征討公孫述的時候，和副將劉尚分兵紮營，彼此相距二十里。公孫述前來攻打漢軍的時候，劉尚出兵與吳漢合擊，擊敗公孫述，這就是軍隊既可以分散又能聚攏的緣故。太公說：『應該分散的時候不分散，就是不能自由行動的軍隊；應該聚攏的時候沒有聚攏，就是孤立無援的軍隊。』」

太宗說：「是這樣的。苻堅最初的時候任用王猛，是因為知道王猛確實善於用兵，於是奪取中原；等到王猛死了之後，苻堅果然就敗了。這就是所說的約束了軍隊吧？漢光武帝任用吳漢，作戰的時候遠離朝廷的約束，吳漢果然平定了蜀地。這不是所說的沒有陷入孤立無援的境地嗎？歷史上的得失，足以為萬代所藉鑒。」

原文

太宗曰：「朕觀千章萬句，不出乎『多方以誤之』一句而已。」

靖良久曰：「誠如聖語。大凡用兵，若敵人不誤，則我師安能剋哉？譬如弈棋，兩敵均焉，一着或失，竟莫能救。是古今勝敗，率由一誤而已，況多失者乎！」

譯文

太宗說：「我看兵書上的千言萬語，都沒有超出『利用各種方法讓敵人出現失誤』這一句話罷了。」

李靖沉默了好久之後說：「的確就像您所說的。但凡用兵打仗，要是敵方不失誤的話，那麼我們的士兵哪裏能戰勝他們呢？就像是下棋，雙方勢均力敵，若有一着下錯了，就沒辦法挽回全盤。因此古往今來的勝敗，大概都是由一着的失誤造成的，更何況是有多次失誤呢！」

原文

太宗曰：「攻守二事，其實一法歟？《孫子》言：『善攻者，敵不知其所守；善守者，敵不知其所攻。』即不言敵來攻

我，我亦攻之；我若自守，敵亦守之。攻守兩齊，其術奈何？」

靖曰：「前代似此相攻相守者多矣，皆曰『守則不足，攻則有餘』。便謂不足爲弱，有餘爲強，蓋不悟攻守之法也。臣案《孫子》云：『不可勝者，守也；可勝者，攻也。』謂敵未可勝，則我且自守；待敵可勝，則攻之爾。非以強弱爲辭也。後人不曉其義，則當攻而守，當守而攻。二役既殊，故不能一其法。」

譯文　太宗問：「進攻與防守兩件事，其實際都是一種方法吧？《孫子兵法》上說：『善於進攻的人，敵人不知道怎麼去防守；善於防守的人，敵人不知道怎麼去進攻。』但是並沒有提到要是敵人前來進攻我的話，我也應該去攻擊他；我要是自我防守的話敵人也會防守。在進攻和防守兩者相當的情況下，該採用什麼樣的辦法呢？」

李靖回答說：「從前有許多這樣相攻相守的例子，都說：『防守的話是因爲沒有充足的兵力，進攻的話是因爲兵力十足。』也就是說兵力不足就是虛弱，兵力十足就是強大，這實在是不懂得進攻和防守的方法啊。我按照《孫子兵法》上所說的：『無法戰勝敵人的時候，就要防守；可以戰勝敵人的時候，就要進攻。』說的是不能戰勝敵人的時候，那麼我就暫時防禦；等到可以戰勝敵人的時候，就立刻攻擊敵人。並不是僅僅說的是強弱。後來的人不懂得這其中的意義，就在應該進攻的時候防守，在應該防守的時候進攻。完全將兩種方式對立起來，所以不能將二者統一。」

原文　太宗曰：「信乎，有餘不足，使後人惑其強弱！殊不知守之法，要在示敵以不足；攻之法，要在示敵以有餘也。示敵以不足，則敵必來攻，此是敵不知其所攻者也；示敵以有餘，則敵必自守，此是敵不知其所守者也。攻守一法，敵與我分而爲二事。若我事得，則敵事敗；敵事得，則我事敗。得失成敗，

彼我之事分焉。攻守者，一而已矣，得一者百戰百勝。故曰：『知彼知己，百戰不殆。』其知一之謂乎？」

靖再拜曰：「深乎，聖人之法也！攻是守之機，守是攻之策，同歸乎勝而已矣。若攻不知守，守不知攻，不唯二其事，抑又二其官。雖口誦《孫》、《吳》，而心不思妙，攻守兩齊之說，其孰能知其然哉！」

譯文

太宗說：「確實如此啊，有餘和不足，讓後人誤認爲是兵力的強弱！卻不知道防守的辦法，是在敵人面前僞裝成兵力不足的樣子；進攻的方式，是要在敵人面前展示爲兵力有餘的樣子。展示給敵人兵力不足的樣子，那麼敵人就一定會來進攻，這是敵人不知道自己不應該進攻；展示給敵人兵力有餘的樣子，那麼敵人就一定會防守，這是敵人不知道自己不應該防守。進攻和防守本來是一樣的方式，但是對於敵方和我方來說就分成兩種不同的方式。要是我方的戰略成功了，那麼敵方就失敗了；要是敵方的戰略成功了，那麼我方就失敗了。得失成敗，根據敵方和我方而有所不同。進攻和防守，本就是同樣的方法，掌握了這個方法就可以百戰不殆。所以說：『瞭解己方瞭解對方，纔能百戰百勝。』講的就是這個道理吧？」

李靖拜了兩拜說道：「古代聖人的兵法，實在是太深奧了！進攻是防守的關鍵，防守是進攻的策略，兩者的目的都是爲了獲得勝利。要是進攻而不知道防守，防守不知道進攻，不僅僅是將兩件事割裂開來，也是將兩者的職責分開了，儘管口中誦讀《孫子》、《吳子》的兵法，但是心中並沒有考慮進攻和防守二者兩全其美的好處，那麼又如何能知道這其中所蘊含的道理呢！」

原文

太宗曰：「《司馬法》言：『國雖大，好戰必亡；天下雖安，忘戰必危。』此亦攻守一道乎？」

靖曰：「有國有家者，曷嘗不講乎攻守也。夫攻者，不止攻

其城擊其陳而已，必有攻其心之術焉；守者，不止完其壁堅其陳而已，必也守吾氣而有待焉。大而言之，爲君之道；小而言之，爲將之法。夫攻其心者，所謂知彼者也；守吾氣者，所謂知己者也。」

譯文 太宗問：「《司馬法》上說：『雖然國家強大，但要是好戰的話一定會滅亡；天下雖然安定，忘記戰爭就一定危險。』這也是說進攻和防守是統一的意思嗎？」

李靖回答說：「擁有國家擁有家庭的，怎麼會不講究進攻和防守呢。進攻，不僅僅是攻下對方的城池、破對方的陣形而已，一定有可以瓦解對方軍心的辦法；防守，不僅僅保全自己的營壘、完善自己的陣勢而已，一定守住自己的士氣而等待時機。往大的方面說，是爲君的原則；往小的方面說，是爲將的方法。可以動搖敵方軍心，就是所說的瞭解對方；守住自己的士氣，就是所說的瞭解自己。」

原文 太宗曰：「誠哉！朕常臨陳，先料敵之心與己之心孰審，然後彼可得而知焉；察敵之氣與己之氣孰治，然後我可得而知焉。是以知彼知己，兵家大要。今之將臣，雖未知彼，苟能知己，則安有失利者哉！」

靖曰：「孫武所謂『先爲不可勝』者，知己者也；『待敵之可勝』者，知彼者也。又曰：『不可勝在己，可勝在敵。』臣斯須不敢失此誡。」

譯文 太宗說：「的確如此啊！每當我在與敵人對陣的時候，總是先去分析敵人的思路與我軍的思路誰更謹慎，然後就可以瞭解敵軍的虛實情況；觀察敵軍的士氣與我軍的士氣誰更旺盛，然後就可以知道我軍是不是可以獲得勝利。所以說瞭解對方瞭解自己，是作戰時的關鍵。如今的將領，雖然不能

吳起論「四機」，以氣機為上，無他道也。將能使人人自鬥，則鋒銳莫當。孫子所謂朝氣銳者，非限以時刻而言也，但舉一日始末為譬喻也。凡三鼓而敵氣不竭不衰；則安能必使之惰歸哉？蓋學兵書者，徒能讀誦空文，而為敵人所誘。悟曉奪氣之理，則兵可任使矣。

瞭解敵人，要是可以瞭解自己，那麼哪裏還會失利呢？」

李靖說：「孫武所說的『先制造自己不被敵人戰勝的條件』，就是瞭解自己；『等待可以戰勝敵人的時機』，就是瞭解敵人。孫武又說：『不被敵人戰勝在於自己，能夠戰勝敵人在於對方。』我一刻也不敢忘記這些啊。」

【原文】太宗曰：「《孫子》言三軍可奪氣之法：『朝氣銳，晝氣惰，暮氣歸。善用兵者，避其銳氣，擊其惰歸。』如何？」

靖曰：「夫含生稟血，鼓作鬥爭，雖死不省者，氣使然也。故用兵之法，必先察吾士衆，激吾勝氣，乃可以擊敵焉。吳起『四機』，以氣機爲上，無他道也，能使人人自鬥，則其銳莫當。所謂朝氣銳者，非限時刻而言也，舉一日始末爲喻也。凡三鼓而敵不衰不竭，則安能必使之惰歸哉！蓋學者徒誦空文，而爲敵所誘。苟悟奪之之理，則兵可任矣。」

【譯文】太宗說：「《孫子兵法》中說三軍可以奪取士氣的方法是：『開始開戰的時候士氣最強盛，過了一段時間之後士氣慢慢倦怠了，等到了作戰後期士氣就完全消失了。善於用兵的人，避開最爲強盛的士氣，在其士氣倦怠和消失的時候發起攻擊。』這樣的說法怎麼樣？」

李靖回答說：「一切有生命的，被鼓勵作戰，就算到死也不能有所省悟，這是因爲士氣導致的。所以用兵的辦法，一定是先觀察我軍士卒，激起他們的士氣。這樣就可以擊敗敵人。吳起所說的『四機』，以氣機爲最上等，沒有其他道理，祇是讓每個人鼓起勇氣去戰鬥，那麼其高漲的士氣沒有誰可以阻擋。所說的開戰初始高漲的士氣，並不是限定在某一個時刻而言的，祇是用一天的開始和結束來舉例子。要是經過了三次戰鼓擂響之後士氣沒有衰敗、消失的敵人，那麼如何能讓他們的士氣衰敗消失呢！學習兵法的那些人祇知道背誦條款，最終導致自己被敵人所誘騙。如果領悟了奪取敵人士氣的道理，

那麼就可以讓他帶兵作戰了。」

原文 太宗曰：「卿嘗言李勣能兵法，久可用否？然非朕控御，則不可用也。他日太子治，若何御之？」

靖曰：「爲陛下計，莫若黜勣，令太子復用之，則必感恩圖報！於理何損乎？」

太宗曰：「善！朕無疑矣。」

譯文 太宗問：「你曾經說李勣通曉兵法，長時間來看可以任用他嗎？要是不是我親自控制的話，那麼就不能任用他了。將來太子治理天下，如何駕馭呢？」

李靖回答說：「爲陛下您長久地打算，要是廢黜李勣，然後再讓太子重新啟用他，那麼他就一定對太子十分感激，爲太子盡忠！從情理角度來說可有什麼不妥嗎？」

太宗說：「很好！我沒什麼疑惑了。」

原文 太宗曰：「李勣若與長孫無忌共掌國政，他日如何？」

靖曰：「勣，忠義臣，可保任也。無忌佐命大功，陛下以肺腑之親，委之輔相。然外貌下士，內實嫉賢。故尉遲敬德面折其短，遂引退焉；侯君集恨其忘舊，因以犯逆。皆無忌致其然也。陛下詢及臣，臣不敢避其說。」

太宗曰：「勿泄也，朕徐思其處置。」

譯文 太宗說：「李勣要是和長孫無忌一起執掌國事，將來會怎麼樣呢？」

李靖回答說：「李勣，是忠義之臣，可以保靠。長孫無忌是立下赫赫戰功的輔臣，是陛下您的親近之人，所以纔委以宰相一職。祇是他表面上禮賢下士，實際上卻嫉妒賢能。所以尉遲敬德當面揭他的短，並因此引退；侯君集埋怨他忘記舊交情，因此而謀反。這些都是長孫無忌造成的。既然陛下您問

到我這件事，我不能避開不談。」

太宗說：「不要把此事泄露出去，我會慢慢考慮處理的辦法。」

原文 太宗曰：「漢高祖能將將，其後韓、彭見誅，蕭何下獄，何故如此？」

靖曰：「臣觀劉、項皆非將將之君。當秦之亡也，張良本爲韓報仇，陳平、韓信皆怨楚不用，故假漢之勢自爲奮爾。至於蕭、曹、樊、灌，悉由亡命，高祖因之以得天下。設使六國之後復立，人人各懷其舊，則雖有能將將之才，豈爲漢用哉？臣謂漢得天下，由張良藉箸之謀，蕭何漕輓之功也。以此言之，韓、彭見誅，范增不用，其事同也。臣故謂劉、項皆非將將之君。」

譯文 太宗問：「漢高祖劉邦善於統領將士，後來韓信、彭越等人都被誅殺，蕭何也被投進監獄，是什麼原因導致這樣的結果呢？」

李靖回答說：「在我看來劉備、項羽都不是善於統領將士的君主。秦朝滅亡之後，張良本意是要爲韓國報仇，陳平、韓信都怨恨當年沒有被楚國重用，所以假藉漢室的力量爲自己謀求出路。至於蕭何、曹參、樊噲、灌嬰，都是些在外逃亡的人，漢高祖依靠他們纔奪取了天下。要是六國的後代重新復國，那麼人人都心念自己原來的國家，那麼就算有統領將士的才能，這些人又怎麼會爲漢室所用呢？我說漢高祖之所以奪取天下，是因爲張良高明的謀略，蕭何出色的後勤保障工作的功勞。從這個角度來說，韓信、彭越被誅殺，沒有任用范增，也是同樣的道理啊。所以我說劉邦、項羽都不是善於統領將士的君主。」

原文 太宗曰：「光武中興，能保全功臣，不任以吏事，此則善於將將乎？」

靖曰：「光武雖藉前構，易於成功，然莽勢不下於項籍，

寇、鄧未越於蕭、張，獨能推赤心用柔治保全功臣，賢於高祖遠矣！以此論將將之道，臣謂光武得之。」

【譯文】太宗問：「漢光武帝使漢朝從衰落再次走向興盛，可以保全有功的臣子，但是又不委任他們政事，這是善於統領將士嗎？」

李靖回答說：「漢光武帝雖然藉助前人創造的條件，比較容易地獲得了成功，但是王莽的勢力卻不比項羽，寇恂、鄧禹等人的能力也比不上蕭何、張良，唯獨可以以赤誠之心待人，用懷柔的政策保全有功之臣，他的賢能遠遠高於漢高祖！要是以此來談論統領將士的道理，我認爲漢光武帝是領會了眞諦。」

【原文】太宗曰：「古者出師命將，齋三日，授之以鉞曰：『從此至天，將軍制之。』又授之以斧，曰：『從此至地，將軍制之。』又推其轂，曰：『進退唯時。』既行，軍中但聞將軍之令，不聞君命。朕謂此禮久廢，今欲與卿參定遣將之儀，如何？」

靖曰：「臣竊謂聖人制作，致齋於廟者，所以假威於神也；授斧鉞又推其轂者，所以委寄以權也。今陛下每有出師，必與公卿議論，告廟而後遣，此則邀以神聖矣；每有任將，必使之便宜從事，此則假以權重矣；何異於致齋推轂邪？盡合古禮，其義同焉，不須參定。」

上曰：「善！」乃命近臣書此二事，爲後世法。

【譯文】太宗問：「古時候發兵打仗任命主帥的時候，齋戒三天，將鉞授予主將說：『從這裏到上天，全都由將軍統領。』將斧授予主帥，說：『從這裏到大地，全都由將軍統領。』又推動車輛，說：『進退都要符合時機。』然後大軍開拔，在軍隊之中只聽從主帥的命令，不聽從君主的命令。我認爲這項制度應該徹底地廢除，今天想和你參照古代的禮制商量其他的遣將儀式，你

怎麼看？」

李靖回答說：「我私下裏認爲聖人所作的，在宗廟裏進行齋戒，所以纔能假藉神靈的威嚴；授予斧鉞並且推動車輛，所以纔能將權力委任給主帥。如今陛下您每次出師打仗，一定要與公卿商討，將商討結果告知宗廟後再遣將出兵，這就是將假藉神靈威儀的儀式做好了；每次任命主帥，一定授予他們便宜行事的權力，這就是足夠賦予他們權力了；這與進行齋戒推動車輛有什麼區別呢？完全是符合古代的禮制的，它的意義也是一樣的，因此無需參照古代的禮制重新制定了。」

太宗說：「好！」於是命令身邊的近臣把這兩件事情記錄下來，作爲後世做法的標準。

原文

太宗曰：「陰陽術數，廢之可乎？」

靖曰：「不可。兵者，詭道也，託之以陰陽術數，則使貪使愚，茲不可廢也。」

譯文

太宗說：「陰陽術數，可以廢除嗎？」

李靖回答說：「不可以，用兵作戰，本就是詭詐之道，假託以陰陽術數，就可以驅使貪婪懶惰之人，所以不能廢除。」

原文

太宗曰：「卿嘗言：『天官時日，明將不法，闇者拘之。』廢亦宜然？」

靖曰：「昔紂以甲子日亡，武王以甲子日興。天官時日，甲子一也；殷亂周治，興亡異焉。又宋武帝以往亡日起兵，軍吏以爲不可。帝曰：『我往彼亡。』果剋之。由此言之，可廢明矣。然而田單爲燕所圍，單命一人爲神，拜而祠之。神言『燕可破』，單於是以火牛出擊燕，大破之。此是兵家詭道。天官時日，亦猶此也。」

譯文

太宗問：「你曾經說過：『天官時日，精明的將領不會將它作爲做法的對象，昏昧的人纔會受到它的拘束。』將這一套東西廢除也是可以的吧？」

李靖回答說：「從前商紂在甲子日這天滅亡，周武在甲子日這天興盛。按照天官時日，同樣都是甲子日；殷朝昏亂周朝明治，興盛敗亡不相同。而且宋武帝在往亡日發動戰爭，將士們都認爲這樣不可以。宋武帝說：『我去了他們就會滅亡。』果然攻下了南燕。這麼看來，很明顯可以廢除這一套說法了。但是田單被燕君所圍困的時候，田單就讓一個人裝成神僊，向他叩拜並且將其供奉起來。這個所謂的神僊說『燕軍是可以攻破的』，田單於是利用火牛出擊燕軍，燕軍大敗。這就是帶兵作戰的詭詐之道。天官時日，也就是這個道理。」

原文

太宗曰：「田單託神怪而破燕，太公焚蓍龜而滅紂。二事相反，何也？」

靖曰：「其機一也。或逆而取之，或順而行之是也。昔太公佐武王，至牧野遇雷雨，旗鼓毀折，散宜生欲卜吉而後行，此則因軍中疑懼，必假卜以問神焉。太公以謂腐草枯骨無足問，且以臣伐君，豈可再乎？然觀散宜生發機於前，太公成機於後，逆順雖異，其理致則同。臣前所謂術數不可廢者，蓋存其機於未萌也。及其成功，在人事而已矣。」

譯文

太宗問：「田單假託神怪而打敗燕軍，太公燒掉了用來占卜的蓍龜而滅掉了商紂王。兩件事完全相反，這是爲什麼呢？」

李靖回答說：「是因爲取得勝利的機會是一樣的。有人利用破除的方式而取得勝利，有的是用順應的方式贏得成功。過去太公輔佐武王的時候，到達牧野時遭遇雷雨天氣，軍旗戰鼓都因此而毀掉了，散宜生打算占卜吉凶之後

再前進，這是因為當時軍中士兵都疑惑且恐懼，祇能假藉占卜的手段來向神怪求援。太公則認為腐草枯骨的事情不值得一問，況且以臣子的身份討伐君主，難道還要再次進攻嗎？但看起來散宜生提出占卜在前，太公反對在後，雖然破除與順應不同，但是它的道理是一樣的。我之前說不能廢除術數，是因為事情還沒有出現好的時機。至於事情的成功，就完全依靠人的努力了。」

原文

太宗曰：「當今將帥，唯李勣、道宗、薛萬徹，除道宗以親屬外，孰堪大用？」

靖曰：「陛下嘗言，勣、道宗用兵，不大勝亦不大敗；萬徹若不大勝，即須大敗。臣愚思聖言，不求大勝亦不大敗者，節制之兵也；或大勝或大敗者，幸而成功者也。故孫武曰：『善戰者，立於不敗之地，而不失敵之敗也。』節制在我云爾。」

譯文

太宗問：「如今的主帥，祇有李勣、道宗、薛萬徹，除了道宗是屬於宗室的人外，還可以重用誰呢？」

李靖回答說：「陛下您曾經說過，李勣、道宗帶兵打仗，不會有大的勝利也不會有大的失敗；而薛萬徹不是大的勝利就是大的失敗。我曾經考慮過陛下您的聖言，不追求大的勝利也沒有遭受大的失敗，是訓練有素的軍隊；要是有大的勝利大的失敗，就是僥幸獲得勝利的軍隊。所以孫武說：『善於作戰的人，首先是自己立於不敗之地，然後不錯失任何可以讓敵人失敗的機會。』就是說軍隊要訓練有素完全在自己。」

原文

太宗曰：「兩陳相臨，欲言不戰，安可得乎？」

靖曰：「昔晉師伐秦，交綏而退。《司馬法》曰：『逐奔不遠，縱綏不及。』臣謂綏者，御轡之索也。我兵既有節制，彼敵亦正行伍，豈敢輕戰哉？故有出而交綏，退而不逐，各防其失敗者也。孫武云：『勿擊堂堂之陳，無邀正正之旗。』若兩陳

體均勢等，苟一輕肆，爲其所乘，則或大敗，理使然也。是敵兵有不戰，有必戰。夫不戰者，在我；必戰者，在敵。」

【譯文】太宗問：「兩軍對陣，但是並不打算開戰，該怎麼去做呢？」

李靖回答說：「從前晉軍征討秦軍的時候，對陣雙方剛剛接觸就分別撤退。《司馬法》中說：『追擊逃跑的敵人不能距離太遠，追擊撤退的敵人不能離得太近。』我認爲綏，也就是控制馬匹的韁繩。我軍既然訓練有素，且敵軍也是隊列整齊，怎麼可以輕視敵人呢？所以出兵剛剛接觸就後退，撤退之後不去追擊，爲的就是防止各自的失敗。孫武說：『不要進攻實力雄厚陣容堂皇的軍隊，不要進攻高舉旗幟隊伍整齊的軍隊。』要是兩軍勢均力敵，如果有一方輕舉妄動，就會被對方抓住時機，那麼就算徹底失敗，也是很正常的。所以帶兵作戰有不能開戰的時候，有一定要開戰的時候。不能開戰的原因，在於我方；非要開戰的時候，在於敵方。」

【原文】太宗曰：「不戰在我，何謂也？」

靖曰：「孫武云：『我不欲戰者，畫地而守之，敵不得與我戰者，乖其所之也。』敵有人焉，則交綏之間未可圖也。故曰：不戰在我。夫必戰在敵者，孫武云：『善動敵者，形之，敵必從之；予之，敵必取之；以利動之，以卒待之。』敵無人焉，則必來戰，吾得以乘而破之。故曰：必戰者在敵。」

【譯文】太宗問：「不能開戰的原因在我方，是爲什麼呢？」

李靖回答說：「孫武說：『我軍不想開戰的話，畫地防守，敵軍沒有辦法和我軍交戰，因爲我軍設法改變了敵軍的進攻方向。』敵方有善於指揮的人，那麼就算兩軍接觸之後撤退也不能有什麼可以圖謀的。所以說：不開戰的原因在我方。非要開戰則在於敵方，孫武說：『善於調動敵軍的將帥，偽裝假象展露給敵方，敵方一定會跟從；給敵方小的利益，敵方一定會奪取；用利

益調動敵方，用軍隊等候敵方。』敵方沒有深謀遠慮的人，就一定會來襲擊，我方就趁機攻破敵方。所以說：一定開戰的原因在敵方。」

原文

太宗曰：「深乎，節制之兵！得其法則昌，失其法則亡。卿爲纂述歷代善於節制者，具圖來上，朕當擇其精微，垂於後世。」

靖曰：「臣前所進黃帝、太公二陣圖，並《司馬法》、諸葛亮奇正之法，此已精悉。歷代名將，用其一二而成功者亦衆矣。但史官鮮克知兵，不能紀其實跡焉。臣敢不奉詔，當纂述以聞。」

譯文

太宗說：「節制之兵的道理實在是太深奧了！掌握這個方法就會興盛，不能掌握這個方法就會滅亡。你將歷朝歷代善於節制的例子編纂起來，並配以圖呈上來，我將選擇這其中最爲精華的部分，使之流傳於後世。」

李靖回答說：「我之前呈進的黃帝、姜太公的兩種陣形圖，以及《司馬法》、諸葛亮的奇正之法，已經是十分詳盡了。歷朝歷代的名將，運用其中的一兩條就取得成功的人實在是太多了。但是史官中很少有瞭解軍事的，因此不能將這些事情如實地記載下來。我一定遵照您的旨意，將這些史實編撰起來呈遞給您。」

原文

太宗曰：「兵法孰爲最深者？」

靖曰：「臣常分爲三等，使學者當漸而至焉。一曰道，二曰天地，三曰將法。夫道之說，至微至深，《易》所謂『聰明睿智神武而不殺』者是也。夫天之說，陰陽；地之說，險易。善用兵者，能以陰奪陽，以險攻易，孟子所謂天時地利者是也。夫將法之說，在乎任人利器，《三略》所謂得士者昌，管仲所謂器必堅利者是也。」

譯文 太宗問：「兵法之中什麼是最爲精深的呢？」

李靖回答說：「我曾經將兵法分爲三等，讓學習的人循序漸進地接受。第一等是道，第二等是天地，第三等是將法。道之說，最爲微妙最爲精深，正是《易經》中所說的『無所不聞、無所不見、無所不通、無所不知，變幻莫測、勘定禍亂、不用威刑而服萬方』的智慧。天之說，是陰陽；地之說，是險易。善於用兵的人，可以依靠陰柔奪取陽剛，可以依據不利於作戰的地勢攻下易於作戰的地勢，這也就是孟子所說的天時地利。所以將法的說法，在於對人才的任用以及精良的武器裝備，《三略》所說的得到賢能的人就可以興盛，管仲所說的武器必須要精良就是這個道理。」

原文 太宗曰：「然。吾謂不戰而屈人之兵者，上也；百戰百勝者，中也；深溝高壘以自守者，下也。以是較量，孫武著書，三等皆具焉。」

靖曰：「觀其文，跡其事，亦可差別矣。若張良、范蠡、孫武，脫然高引，不知所往。此非知道，安能爾乎？若樂毅、管仲、諸葛亮，戰必勝，守必固，此非察天時地利，安能爾乎？其次，王猛之保秦，謝安之守晉，非任將擇材，繕完自固，安能爾乎？故習兵之學，必先由下以及中，由中以及上，則漸而深矣。不然，則垂空言，徒記誦，無足取也。」

譯文 太宗說：「是這樣的。我認爲沒有交戰就戰勝敵人，是用兵之中最爲上等的；多次交戰多次取得勝利，是用兵之中中等的；依據深深的谷溝高高的壁壘自己防守的，是用兵之中下等的。按照這個標準去比較的話，在孫武的言論中，三等全都具備了。」

李靖說：「看他們的文章，推究他們的事蹟，也是可以看出一些差別來的。比如張良、范蠡、孫武三人，在功成名就之後激流勇退超脫世俗，不知他們去

了哪裏。這如果不是通曉了道，哪裏能做到這樣呢？至於樂毅、管仲、諸葛亮三人，帶兵打仗就一定勝利，防守就一定堅固，要不是掌握了天時地利，如何能做到這一步呢？再有王猛保全前秦，謝安捍衛東晉，如果不是因爲善於任命主帥選拔人才，完善自我的防禦使其堅不可摧，又如何能做到這樣呢？所以學習兵法，一定從下等再到中等，從中等再到上等，循序漸進逐步加深。否則的話，祇是紙上談兵，死記硬背，完全不理解地做法。」

原文

太宗曰：「道家忌三世爲將者，不可妄傳也，不可不傳也。卿其愼之。」

靖再拜出，盡傳其書與李勣。

譯文

太宗說：「道家忌諱三代都是將領，兵法不可以隨便傳人，也不可以不傳人。你一定要愼重啊。」

李靖拜了兩拜之後退出去，將他的兵書全都給了李勣。

線裝宣紙精品

書香傳家系列

崇賢善本系列

經典復刻，白話精釋，限量珍藏，好禮首選。

9 789865 805739　07200
總經銷：吳氏圖書股份有限公司
Wu's Book Co., LTD.

ammF1

崇賢善本 肆

武經七書

原　作　者：（春秋）孫武 等
釋　　　譯：崇賢書院
出　版　者：臺灣崇賢館文創有限公司
地　　　址：一一六七〇台北市文山區景文街一號四樓之二
電　　　郵：gwotau2004@msn.com
電　　　話：（〇二）二九三五一〇一一
總　經　銷：吳氏圖書股份有限公司
地　　　址：新北市中和區中正路七八八之一號五樓
電　　　話：（〇二）三三三四〇〇三六
傳　　　真：（〇二）三三三四〇〇三七
初　　　版：二〇一八年五月
售　　　價：新台幣　七二〇〇圓

國家圖書館出版品預行編目（CIP）資料
武經七書／孫武等原著；崇賢書院釋譯．— 初版 — 臺北市：臺灣崇賢館文創，2018.05 | 函五冊；29.5公分＊17.5公分 —（崇賢善本；4）ISBN 978-986-5805-73-9（全套：線裝）一、兵法　二、中國　592.09　107006371

本書由北京崇賢館世紀傳媒文化有限公司
授權代理發行

結束代理
退貨不收

崇賢館精研歷代善本風貌，傳承宋版之精嚴而高貴、元版之景宋而厚重、明版之繁盛而異彩、清版之集古而為新，故將館內所收版刻經典字體及當代名家真跡礪成崇賢字體，進而以此專有字體呈現歷代儒道佛及國藝典籍神韻，並融合當代審美情趣，名曰崇賢館古體本。

崇賢館古籍本
以圖典籍與源流整合當代審美情趣為名
守護經典以此為守護呈現匯代雅致追求
成為經典守護之當代名家真跡匯成崇賢
古籍清末以來古籍善本版本之精古
雅古高貴也成以景家古風重明成以繁復
崇賢館精研雅致善本風韻典雅深厚以精

圖書在版編目（CIP）數據

武經七書／（春秋）孫武等著；崇賢書院釋譯．——
北京：北京聯合出版公司，2015.2
（崇賢善本）
ISBN 978-7-5502-4685-0

Ⅰ．①武… Ⅱ．①孫… ②崇… Ⅲ．①兵法－中國－
古代 Ⅳ．①E892.2

中國版本圖書館CIP數據核字（2015）第025203號

ISBN 978-7-5502-4685-0

書　　名　武經七書
著 作 者　（春秋）孫武等　著　崇賢書院　釋譯
責任編輯　徐秀琴　徐　寧
出版發行　北京聯合出版公司
地　　址　北京市西城區德外大街八十三號樓九層
　　　　　郵編：100088
策劃經銷　北京崇賢館世紀文化傳媒有限公司
地　　址　北京市朝陽區建外SOHO西區
　　　　　15號樓1單元1515號．郵編：100022
印　　刷　河北華寶古籍印刷有限公司
開　　本　宣紙八開
版　　次　二〇一五年三月第一版
　　　　　二〇一五年三月第一次印刷
標準書號　ISBN 978-7-5502-4685-0
定　　價　壹仟壹佰捌拾圓整（一函五冊）